深山中的一盞明燈

夢參老和尚生於西元一九一五年，中國黑龍江省開通縣人。年少輕狂，個性機靈、特立獨行，年僅十三歲便踏入社會，加入東北講武堂軍校，自此展開浪漫又傳奇的修行生涯。

隨著九一八事變，東北講武堂退至北京，講武堂併入黃埔軍校第八期，但他未去學校，轉而出家。

他之所以發心出家是因爲曾在作夢中夢見自己墜入大海，有一位老太太以小船救離困境。這位老太太向他指示兩條路，其中一條路是前往一棟宮殿般的地方，說這是他一生的歸宿。醒後，經過詢問，夢中的宮殿境界就是上房山的下院，遂於一九三一年，前往北京近郊上房山兜率寺，依止修林和尚出家；惟修林和尚的小廟位於海淀藥王廟，就在藥王廟剃度落髮，法名爲「覺醒」。

但是他認爲自己沒有覺也沒有醒，再加上是作夢的因緣出家，便給自己取名爲「夢參」。

當時年僅十六歲的夢參法師，得知北京拈花寺將舉辦三壇大戒，遂前往依止全朗和尚受具足戒。受戒後，又因作夢因緣，催促他南下九華山朝山，正適逢六十年舉行一次的開啓地藏菩薩肉身塔法會，當時並不爲意，此次的參訪地藏菩薩肉身，卻爲他日後平反出獄，全面弘揚《地藏三經》法門，種下深遠的因緣。

在九華山這段期間，他看到慈舟老法師在鼓山開辦法界學苑的招生簡章，遂於一九三二年到鼓山湧泉寺，入法界學苑，依止慈舟老法師學習《華嚴經》與戒律。

鼓山學習《華嚴經》的期間，在慈舟老法師的親自指點下，日夜禮拜〈普賢行願品〉，開啓宿世學習經論的智慧；又在慈老的教導下，年僅二十歲便以代座講課的機緣，逐步成長爲獨當一面，口若懸河，暢演《彌陀經》等大小經論的法師。

法界學苑是由虛雲老和尚創辦的，經歷五年時間停辦。學習《華嚴經》圓滿之後，夢參法師又轉往青島湛山寺，向倓虛老法師學習天臺四教。

在青島湛山寺期間，他擔任湛山寺書記，經常銜命負責涉外事務。曾赴廈門迎請弘一老法師赴湛山，講述「隨機羯磨」，並做弘老的外護侍者，護持弘老生活起居半年。弘一老法師除親贈手書的〈淨行品〉，並囑托他弘揚《地藏三經》。

當時中國內憂外患日益加劇，日本關東軍逐步佔領華北地區，在北京期間，以善巧方便智慧，掩護許多國共兩黨的抗日份子幸免於難。一九四〇年，終因遭人檢舉被日軍追捕，遂喬裝雍和宮喇嘛的侍者身份離開北京，轉往上海、香港；並獲得香港方養秋居士的鼎力資助，順利經由印度，前往西藏色拉寺依止夏巴仁波切，學習黃教菩提道修法次第。

在西藏拉薩修學五年，藏傳法名爲「滾卻圖登」；由於當時西藏政局產生重大變化，排除漢人、漢僧風潮日起，遂前往青海、西康等地遊歷。一九四九年底，在夏巴仁波切與夢境的催促下離開藏區。

此時中國內戰結束，國民黨退守台灣，中華人民共和國在北京宣布成立。一九五〇年元月，正值青壯年的夢參法師，在四川甘孜時因不願意放棄僧人身份，不願意進藏參與工作，雖經過二年學習依舊不願意還俗，遂被捕入獄；又因在獄中宣傳佛法，被以反革命之名判刑十五年、勞動改造十八年，自此「夢參」的名字隱退了，被獄中各種的代號所替換。

他雖然入獄三十三年，卻也避開了三反五反、文革等動亂，並看盡眞實的人性，將深奧佛法與具體的生活智慧結合起來；爲日後出獄弘法，形成了一套獨具魅力的弘法語言與修行風格。

時年六十九歲，中央落實宗教政策，於一九八二年平反出獄，自四川返回北京落户，任教於北京中國佛學院；並以講師身份講述〈四分律〉，踏出重新弘法的第一步。夢老希望以未來三十三年的時間，補足這段失落的歲月。

因妙湛等舊友出任廈門南普陀寺方丈，遂於一九八四年受邀恢復閩南佛學院，並擔任教務長一職。一方面培育新一代的僧人，一方面開講《華嚴經》，講至〈離世間品〉便因萬佛城宣化老和尚的邀請前往美國，中止了《華嚴經》的課程。

自此在美國、加拿大、紐西蘭、新加坡、香港、臺灣等地區弘法的夢老，開始弘揚世所罕聞的《地藏三經》：《占察善惡業報經》、《地藏經》、《地藏十輪經》與〈華嚴三品〉，終因契合時機，法緣日益鼎盛。

夢老在海外弘法十五年，廣開皈依、剃度因緣，滿各地三寶弟子的願心。夢老所剃度的弟子，遍及中國大陸、臺灣、香港、加拿大、美國等地區。他並承通願法師之遺願囑託，鼎力掖助她的弟子，興建女眾戒律道場；同時，順利恢復雁蕩山能仁寺。

年屆九十，也是落葉歸根的時候了，夢老在五臺山度過九十大壽，並勉力克服身心環境的障礙，在普壽寺開講《大方廣佛華嚴經》（八十華嚴），共五百餘座圓滿，了卻多年來的心願。這其間，又應各地皈依弟子之請求，陸續開講〈大乘起信論〉、《大乘大集地藏十輪經》、《法華經》、《楞嚴經》等大乘經論。

夢老在五台山靜修、說法開示，雖已百歲高齡，除耳疾等色身問題外，依舊聲如洪鐘，法音攝受人心；在這期間，除非身體違和等特殊情形，還是維持長久以來定時定量的個人日課，儼然成爲深山中的一盞明燈，常時照耀加被幽冥眾生。

二〇一七年十一月二十七日（農曆丁酉年十月初十申時），圓寂於五台山眞容寺，享年一〇三歲。十二月三日午時，在五台山碧山寺塔林化身窯荼毗。

夢參老和尚出家八十七載，一本雲遊僧道風，隨緣度眾，無任何傳法舉措，未興建個人專屬道場。曾親筆書寫「童貞入道、白首窮經」八字，爲一生的求法修行，作了平凡的註腳。

公元二〇一八年　方廣編輯部修訂

大乘大集地藏十輪經

有依行品第四

夢參老和尚　主講

大乘大集地藏十輪經

夢參老和尚主講

有依行品第四

現在開始講〈有依行品〉，「有依」是指依著三寶，就能夠產生種種的功德力量。

「爾時金剛藏菩薩摩訶薩，於大眾中，從座而起，頂禮佛足，偏袒一肩，右膝著地，合掌恭敬，以頌問曰：」

金剛藏菩薩就提出問題了。他問：「佛說的這法，好像有的地方跟以前說的不一樣，相互有矛盾之處，應該如何融通？」金剛藏菩薩本身是融通的，但是他知道未來的衆生可能會有這個問號，質疑三乘是平等嗎？但是佛在《法華經》上說，「唯此一是實，餘二皆非眞。」在《金剛般若波羅蜜經》上又說《金剛經》是究竟的，其他都不是。爲什麼佛有時候這樣說，有時候又那樣說呢？要怎麼融通呢？

「昔言破戒失淨德　非賢聖器非我子
諸沙門法棄如燼　不應居我清衆中
三垢所汙失滅道　彼不堪消勝供養
於施四方僧衆物　少分我亦不聽受
四根本罪隨犯一　清衆所棄如海尸
云何今說惡苾芻　應忍應悲遮讁罰
復勸應勤供養彼　悲愍勿生微惡心
恭敬聽受所說法　常獲福慧大悲者

六通救世餘經說　汝等皆當信大乘
正直微妙菩提道　應捨二乘解脫路
云何今復說三乘　普勸聽持修供養
根力覺道沙門果　此經中有餘處無
八支聖道無等倫　三乘皆同行此道
欲求解脫勤精進　各隨所願證菩提
有情中尊當照察　會今昔教使無違
令諸天人菩薩眾　解悟心歡證眞實
聞說大乘誰有益　聞說大乘誰有損
十種解脫聲聞乘　聞說誰損誰有益
何人聞法轉昇進　何人聞法翻退沒
云何厭患諸有爲　能速枯竭於老死

晝夜勤修諸善者　依何妙理御何乘
能度深廣四瀑流　救世皆當為宣說」

「昔言破戒失淨德，非賢聖器非我子，諸沙門法棄如燼，不應居我清衆中。」這一頌是指，破戒的比丘沒有功德，失掉清淨的功德，賢人成不了，聖人也成不了。不是盛法器的器皿，非我弟子，我非他大師，他非我弟子，就是這樣的意思。

「諸沙門法棄如燼，不應居清衆中。」犯戒的人不應再跟大衆共住了，每部經論都這樣說。

「三垢所汙失滅道，彼不堪消勝供養，於施四方僧衆物，少分我亦不聽受。」佛在戒經上說過，要是破戒的比丘，他不能享受四方僧物，乃至一點點也不聽取他享受；他消受不了，因為這是殊勝的供養。

「四根本罪隨犯一，清衆所棄如海尸。」大海是不容死尸的，死到海裡，浪一定把你打到岸邊上。這是說犯戒的比丘在清淨的比丘衆當中，就把他清除了。

「云何今說惡苾芻，應忍應悲遮謫罰。」可是這部經爲什麼要這樣說？要忍受惡比丘，要悲憫他，不要隨便的訶責他。

「復勸應勤供養彼，悲愍勿生微惡心。」要生起大悲心供養他，悲憫他，不要生起一點點惡心，因爲他是披赤袈裟的。

「恭敬聽受所說法，常獲福慧大悲者，六通救世餘經說，汝等皆當信大乘。」佛所說的話，我們都是恭敬聽受的，聽受了一定獲得福慧大悲。我們對待法要恭敬，要聽受，要護持，這樣才能得福得慧。

「六通救世餘經說」，佛是具足六通的。六通就是天眼通、天耳通、他心通、宿命通、神足通、漏盡通。佛的漏盡是究竟漏盡，是究竟清淨。

「汝等應皆當信大乘」，二乘法不可以學，要信大乘法。

「正直微妙菩提道，應捨二乘解脫路。」二乘的解脫不是眞正的解脫，這是微妙不可思議的菩提道，不要貪著小乘。

「云何今復說三乘，普勸聽持修供養。」這部經上，佛說是聲聞乘、緣覺乘、菩薩乘，三乘善修，勸大家都聽持，都要供養，怎麼跟以前說的相互矛盾？就是這樣的涵義。

「根力覺道沙門果，此經中有餘處無。」現在說是五根五力七覺支，乃至於證得了四果沙門，這部經是這樣說。大乘經典就不這樣說了。

「八支聖道無等倫，三乘皆同行此道。」三乘平等的，都如是修八聖道。

「欲求解脫勤精進，各隨所願證菩提。」依八聖道，想精進修行想求解脫的，你發什麼願就證什麼菩提果。

「有情中尊當照察，會今昔教使無違。」佛在一切衆生中尊，是衆生之中最尊貴的，你應當用智慧照察。會，融會的意思，現在所說的跟以前所教導的，不相違才好。

「令諸天人菩薩衆，解悟心歡證眞實。」像這樣的聽，他們不會喜歡的。爲什麼？他們不能夠解悟，不能夠證到眞實，究竟如何才是對？就是這個意思。

「聞說大乘誰有益，聞說大乘誰有損，十種解脫聲聞乘，聞說誰損誰有益。」哪個是有利益的？哪個是有損害的？大乘也好，聲聞乘也好。聽說聞，是聽者、是演說者，究竟誰有利益？誰受損害呢？

「何人聞法轉昇進，何人聞法翻退沒。」要怎麼樣的聞法才能夠高昇，向前精進。而何人聞法翻退沒，這樣子會使他產生懷疑，就想謗法。謗法就退，退了就墮地獄。

「云何厭患諸有爲，能速枯竭於老死。」一切有爲法，怎麼樣才能使他知道他的過患，才能使他免於生老病死苦。老死枯竭，枯竭就滅了。云何厭惡有爲是生，如何能斷生死？世間一切諸法都是有爲法，老死也是世間法。怎麼樣厭患生老病死，求出離？

「晝夜勤修諸善者，依何妙理御何乘。」這些修善業的，聲聞也好，菩薩也好，究竟以什麼道理才能得御？御就是駕御的那個乘，是聲聞乘好？緣覺乘好？還是菩薩乘好？或者是依著四諦法，因緣法，六度法？

「能度深廣四瀑流，救世皆當爲宣說。」四瀑流，第一個就是欲瀑流，五欲境界。一般的說，財色名食睡就是五欲，最明顯的，就是地獄五條根，這叫五欲的境界。第二種是四界無色界，四瀑流就是指四界無色界。四界是哪四界呢？地、水、火、風。無色界，沒有地水風火。這是第二種。

四界無色界裡頭都有貪、憍慢、懷疑，這是最突出的。一切衆生的懷疑，耽誤了修菩提道的道理。懷疑，就是不信，遇到什麼事，他都有問號。但是金剛藏菩薩，他是代表衆生，曉得衆生一定會生起問號。

第三種，見。見就是知見，我們有很多的錯誤知見，邪知邪見顛倒見。

第四種，大菩薩也具足了無明根本煩惱，非得到等覺、妙覺才能斷除，那是很微細的。「救世皆當爲宣說」，我所請問的，希望佛給我答覆，給我指示，就是這樣的意思。

「爾時佛告金剛藏菩薩摩訶薩言：善哉善哉，善男子！汝今爲欲利益安樂無量有情，爲諸天人阿素洛等作大義利，請問如來如是深義，汝應諦聽，善思念之，吾當爲汝分別解說。金剛藏菩薩言：唯然，世尊！願樂欲聞。

佛言：善男子！有十種補特伽羅，輪迴生死，難得人身。何等爲十補特伽羅？一者不種善根，二者未修福業，三者雜染相續，四者隨惡友行，五者不見不畏後世苦果，六者猛利貪欲，七者猛利瞋恚，八者猛利愚癡，九者其心迷亂，十者守惡邪見。如是十種無依行因，令諸眾生犯根本罪，毀犯尸羅，墮諸惡趣。」

這十種補特伽羅所作的業，就是因爲沒有善根所依的。一點兒善根都沒有，什麼福都不修，而且他所做的業，雜染相續從來不會停止的。因爲過去有十種無依行因，所以他不修福業，不種善根。

「何等名爲十無依行？謂於我法中而出家者，有加行壞意樂不壞，有意樂壞加行不壞，有加行意樂俱壞，有戒壞見不壞，有見壞戒不壞，有戒見俱壞，有於加行意樂戒見雖皆不壞，而但依止惡友力行作無依行，有雖依止善友力行，而復愚鈍，猶如瘂羊，於諸事業都不分別，聞善友說善不善法，不能領受，不能記持，不能解了善不善義，由是因緣，作無依行。有於種種財寶眾具常無厭足，追求因緣，其心迷亂，作無依行，有爲眾病之所逼惱，便求種種祠祀咒術，由是因緣作無依行。如是十種無依行因，令諸眾生犯根本罪，於現法中非賢聖器，毀犯尸羅，墮諸惡趣。」

爲什麼他會犯根本罪？因爲他有這種的因，必然會犯罪。如是十種無依行，令一切衆生犯根本罪，於現在的法中不是賢聖的器皿，就毀犯尸羅了，所以墮諸惡趣道。

「善男子！若有補特伽羅加行壞意樂不壞，隨遇一種無依行因，犯根本罪，便深怖懼，慚愧棄捨，而不數數作諸惡行，如來爲益彼故，說有汙道沙門。所以者何？彼作如是重惡業已，便即發露，不敢覆藏，慚愧懺悔。彼由如是慚愧懺悔，罪得除滅，永斷相續，不復更作。雖於一切沙門法事皆應擯出，一切沙門所有資具不聽受用，而由彼人於三乘中成法器故，如來慈悲，或爲彼說聲聞乘法，或爲彼說緣覺乘法，或爲彼說無上乘法，彼有是處，轉於第二第三生中，發正願力，遇善友力，一切所作諸惡業障皆悉消滅。或有證得聲聞乘果，或有證得緣覺乘果而般涅槃，或有悟入廣大甚深無上乘理，如是戒壞見不壞者應知亦爾。」

以下就又重說一遍。

破了戒的，他今生能夠懺悔改過了，我又給他說三乘法。他在第二第三生中發正願力，再加遇上善友，所有的諸惡業障都消滅了。這證得了聲聞乘法，或有證得緣覺乘法，或有證得了廣大甚深無上乘法，這就叫「戒壞見不壞，應知亦爾」。

第一個就是「加行壞意樂不壞」、「意樂壞加行不壞」兩個合起來解釋。加行壞了，加行就是沒有方便善巧，因為破戒了，方便善巧沒有了；雖然加行壞了，可是意樂不壞，他還能慚愧，能懺悔，還能發露。雖然是汙道沙門，還能發露懺悔，有悔改的表現，他的罪就可以除滅了。所以佛說汙道沙門也應當供養，也應當尊敬，涵義就是在這裡。

雖然汙道沙門今生不能證果，但是在第二生、第三生，他的正見力量就發揮出來了。再遇見善友的提攜，那麼他所作的一切惡業障都消滅了。至於是證得聲聞乘果，或者證得緣覺乘果而般涅槃，那就不一定了，要看他「第二生第三生」所修的情況。

「或有悟入廣大甚深無上乘理，如是戒壞見不壞，」他雖然破戒了，他的知見沒有破，還認識自己是不對的。有些人雖然做錯事，他不承認，還認爲自己是對的，那就是眞正惡了。雖然破了戒，他還有正知正見，能夠懺悔改過。

「若有補特伽羅意樂壞加行不壞，如來爲益彼故，說求四梵住法，彼是聲聞乘器，或是緣覺乘器。若有補特伽羅加行意樂俱壞，彼於諸乘皆非法器，如來爲益彼故，讚說布施。若有補特伽羅見壞戒不壞，如來爲益彼故，說緣起法令捨惡見，於現身中入聲聞法或緣覺法，或於餘身方能悟入。」

「若有補特伽羅意樂壞加行不壞」，他雖然對佛教沒有意樂了，不大相信佛法了；但他的工作不間斷，念經，照常的課誦，照常的禮拜。

他意樂壞了，信心不具足了，產生不了興趣，可是加行不壞，他照常工作。三寶的加持力能夠使他意樂，還能收回來。

善巧的方便，證道的方便，你要修道時，前面得有加行。這個加行是什麼呢？就是方便善巧。不一定是叩十萬個大頭，也不一定念十萬次百字明咒，也不一定念十萬次三寶頌，這是密宗修加行。我們顯宗的是讀誦、禮拜、懺悔，像早晚殿，都叫加行。這是修道以前的方便善巧，加行就是方便善巧。如來爲了使他得到利益，「說求四梵住法」。四梵住法就是四無量心，四無量心就是慈、悲、喜、捨，能使你的心清淨。如果是聲聞乘的法器，或者是緣覺乘的法器，那麼他修緣覺乘，修聲聞乘，就可以脫離苦。所以對這一類的汙道比丘、汙道沙門，作如是的善巧方便，攝受他們。

「若有補特伽羅加行意樂俱壞，彼於諸乘皆非法器。」加行壞了，意樂也壞了。緣覺乘也好，聲聞乘也好，大乘佛法也好，都不是法器了。怎麼辦呢？佛就給他讚歎說布施，多做善事多施捨，這也是另一種攝受的方法。

「若有補特伽羅見壞戒不壞」，知見雖然不正，但他不破戒，那麼如來爲了加庇他，說緣起法，令他捨惡見，讓他認識諸法是因緣生起的。「於現身中入聲聞法，或緣覺法，或於餘身方能悟入。」今生還是不行，來生才能悟入。

第四種，戒壞見不壞。戒壞見不壞、見壞戒不壞，這兩個可以作一個解釋。如來爲使他們受益，就給他「說緣起法令捨惡見」。或者是見壞了戒不壞，或者他戒壞了見不壞，這兩個都是相似一個了，所以不再重覆了。

「若有補特伽羅戒見俱壞，彼於聖法亦不成器。如來爲益彼故，讚說布施。若有補特伽羅加行意樂戒見不壞，而但依止惡友力行，如來爲益彼故，讚說十善業道。若有補特伽羅雖復依止善友力行，而復愚鈍。猶如瘂羊，不能領受善不善法，如來爲益彼故，讚說習誦。若爲種種貪病所逼，有爲種種見趣迷惑，如來爲益如是等故，求解脫者，爲其開示能出生死趣聲聞乘四聖諦法；斷見論者，爲其讚說諸緣起法；常見論者，爲說三界諸有諸趣，死此生彼，如陶家輪往來無絕無常等法。」

「若有補特伽羅，戒見俱壞，彼於聖法亦不成器。」那麼就給他說布施，使這個補特伽羅亦能得救。

「若有補特伽羅加行意樂戒見不壞」，加行也不壞，意樂也不壞，戒也不壞，見也不壞。那不是很好嗎？但是他有惡友，壞人作爲朋黨，依著惡友的力量，跟著惡友所行，那就糟糕了。例如阿難的哥哥提婆達多，他不是墮身陷地獄？他把比丘分出五百衆，這五百個比丘，跟著他就是破和合僧。這五百比丘，見也沒壞，戒也沒壞，意樂也沒壞，但是跟著惡友，就犯一闡提罪，信不具足了。

「若有補特伽羅雖復依止善友力行，而復愚鈍」，這就反過來了。有一類是跟著善友，但是他鈍遲的不得了，什麼都不知道，既不能說法也不能辨別義理，就像啞羊一樣，啞羊就是不會說話。他就拿這個啞羊作比喻，他對佛法無所知，也不能領受什麼是善法，什麼是不善法，就像啞羊僧。

「如來爲益彼故，讚說習誦。」他得多讀讀大乘，多讀讀經典，學習誦經。

「若爲種種貪病所逼，有爲種種見趣迷惑，如來爲益如是等故，求解脫者，爲其開示能出生死趣聲聞乘四聖諦法」，就是苦集滅道法。補特伽羅有十種，在第八種當中就把九、十都說了，並沒有一個一個標。這有合有分的，你隨著這個經文，一看就知道了。

對於「斷見論者，爲其讚說諸緣起法」。要是對有「常見論」的，就說不常法。所謂常見論是說一切，指山河大地都是不變的、永遠在的。人死了又來了，雖然是來來死死，死死來來，他認爲是常的。或者壽命，想活一千歲，這個是常見衆生，他看一切事物，好像都是不壞的，所以增長貪心。但是這是錯誤的，三界都是無常的。

佛說一個比喻，「陶家輪」，做瓷器的，有個輪子，燒瓷器的那個輪就那麼轉，不停往來，沒有常法可得，這是形容無常。

「善男子！如來無有所說，名字、言說、音聲，空無果者，無不皆爲成熟有情。是故一切毀謗如來所說正法，壞諸有情正法眼罪，過諸無間、似無間等無量重罪，若有於我爲欲利樂一切有情所說正法，謂依聲聞乘所說正法，或依緣覺乘所說正法，或依大乘所說正法，誹謗遮止障蔽隱沒，下至一頌，當知是名謗正法者，亦名毀滅八聖道者，亦名破壞一切有情正法眼者。如是之人，既自習行大無利行，亦令一切有情習行大無利行，此人依止無慚愧僧，如是毀謗如來正法。」

如來所說的名字、言說、音聲都是空的，沒有實體。無果者就沒有實在，都是空的。所以所說名字相、言說相、音聲，都是假的。如夢幻泡影，說是空無果，就是無實在的。「無不皆爲成熟有情」，目的就是要讓衆生得度，就是這個目的。

「是故一切毀謗如來所說正法，壞諸有情正法眼罪，過諸無間、似無間等無量重罪」，你要是這樣毀謗法，會受到很大的罪惡。毀滅如來所說的法，等於毀滅衆生的正法眼，這叫犯毀滅法之罪。世間的無間罪乃至於相似無間罪，無量等罪，滅法的罪是最大的。這就是答覆金剛藏菩薩的懷疑。

「復次善男子！有四種僧，何等爲四？一者勝義僧，二者世俗僧，三者瘂羊僧，四者無慚愧僧。云何名勝義僧？謂佛世尊，若諸菩薩摩訶薩衆，其德尊高，於一切法得自在者，若獨勝覺，若阿羅漢，若不還，若一來，若預流，如是七種補特伽羅，勝義僧攝。若諸有情，帶在家相，不剃鬚髮，不服袈裟，雖不得受一切出家別解脫戒，一切羯磨布薩自恣悉皆遮遣，而有聖法，得聖果故，勝義僧攝，是名勝義僧。云何名世俗僧？謂剃鬚髮，被服袈裟，成就出家別解脫戒，是名世俗僧。云何名瘂羊僧？謂不了知根本等罪犯與不犯，不知輕重，毀犯種種小隨小罪，不知發露懺悔所犯，惷愚魯鈍，於微小罪不見不畏，不依聰明善士而住，不時時間往詣多聞聰明者所親近承事，亦不數數恭敬請問：云何爲善？云何不善？云何有罪？云何無罪？修何爲妙？作何爲惡？如是一切補特伽羅，瘂羊僧攝，是名瘂羊僧。云何名無慚愧僧？謂若有情，爲活命故，歸依我法，而求出家，得出家已，於所受持別解脫戒一切毀犯，無慚無愧，不見不畏後世苦果，內懷腐敗，如穢蝸螺，貝音狗行，常好虛言，曾無一實，慳貪嫉妒，愚癡憍慢，離三勝業，貪著利養恭敬名譽，耽湎六塵，好樂婬泆，愛欲色聲香味觸境，如是一切補特伽羅，無慚僧攝，毀謗正法，是名無慚愧僧。」

「復次善男子！有四種僧」，經文裡並沒有說朋黨僧。「何等爲四？一者是勝義僧，二者世俗僧，三者啞羊僧，四者無慚愧僧。」什麼是勝義僧？「謂佛世尊，若諸菩薩摩訶薩衆，其德尊高，於一切法得自在者」，這是勝義僧。「若獨勝覺，若阿羅漢」，就是獨覺，阿羅漢是無生。「若不還」是三果不還果，「若一來」是二果，「若預流」是一果初果聖人。須陀洹、阿那含、斯陀含、阿羅漢，就是四聖諦果。再加上佛、菩薩、獨覺，一共七種補特伽羅。佛也是衆生之一，七種補特伽羅當中，佛、菩薩、緣覺就有三種。再加上四果，初果、二果、三果、四果，就是七種補特伽羅，這七種都屬於勝義僧。

「若諸有情帶在家相」，雖然未出家，他的心出家了，身未出家，他「不剃鬚髮不服袈裟」，雖然沒有受出家的別解脫戒，一切羯磨布薩自恣，他都不能參加，這就遮遣、遮止了。「而有聖法」，在家也有得勝果的，這個也屬於「勝義僧攝」，在家的得了勝果，這就叫勝義僧。

云何名世俗僧？謂剃鬚髮，被服袈裟，成就出家別解脫戒，是名世俗僧。沒證勝果的，這叫世俗僧。

云何名爲啞羊僧呢？不了知根本等罪犯與不犯。對於根本戒，他不知道什麼叫犯，什麼叫不犯。怎麼叫做犯？每一戒裡都具足五緣，好比殺戒。殺因、殺法、殺緣、殺業，乃至於到命盡，命盡就是殺死了，這個才叫犯了。命未盡有殺因，我想殺死他，也得有那個緣，像刀具，拿什麼東西，就叫緣。殺業，就是想辦法，想什麼辦法，或者刀砍，或者槍斃，或拿槍打死，做了這個業，乃至於想種種法子。前人命盡，你這個罪就犯了。沒有這等，缺一緣而不成。你必須得學，不學不知道。啞羊僧，他不學，他不懂得什麼叫犯，什麼叫不犯，這叫啞羊僧，他不學，也不能給別人說。

什麼叫無慚愧僧呢？他是爲了活命，看和尚這碗飯好吃，到這裡來要混飯吃的出家人。他雖然歸依佛法了，出家之後，也受了別解脫戒，一切都犯，他根本不是想出家的，所以一切戒都犯了。犯了又不懺悔，「無慚無愧」，還認爲自己所做是對的，他也看不見後世的苦果。內心是腐敗的、腐朽的。「如穢蝸螺」，像螺絲一樣，像蝸牛一樣。「貝音狗行」，貝音狗行就是學狗行，學狗而且還說大話，還說假話。「常好虛言，曾無一實」，一句實話都沒有，都是假話。

「慳貪嫉妒愚癡憍慢」，三勝業他都離了。身口意的三殊勝業，他全離了，憍慢愚癡貪慳十惡全犯了，還貪著利養恭敬的名譽，耽湎六塵，色聲香味觸法這六塵境界，一樣都不捨棄。「好樂婬泆」，好樂婬泆就是只求享受，簡單說，「愛欲色聲香味觸境，如是一切補特伽羅，無慚僧攝，毀謗正法，是名無慚愧僧」。

「善男子！勝義僧者，於中或有亦是勝道沙門所攝。言勝道者，謂若能依八支聖道，自度一切煩惱駛流，亦令他度。此復云何？謂佛世尊及獨勝覺諸阿羅漢，如是三種補特伽羅，已離一切有支眷屬，故名勝道。」

沙門一共有四種，再加上朋黨，就是五種。因爲金剛藏菩薩問佛，佛以前說破戒的汙道沙門，就像大海中死屍似的，是棄諸佛海之外。僧衆一切的享受都不分給他，他也不能得，爲什麼佛還勸弟子們供養他？要慈悲他？

這個「善男子」是指金剛藏菩薩，佛稱讚金剛藏菩薩。勝義者，就是指著勝道沙門說的，而勝義就攝到勝道沙門裡說，叫勝義。這個勝道包括幾種，哪幾種是屬於勝義僧？簡單說是依著勝道而證果的。佛世尊、獨覺聲聞而緣覺聲聞，聲聞就是阿羅漢，這三種的補特伽羅，有情補特伽羅，佛也是補特伽羅之一。他們斷了見思煩惱，煩惱不是他的眷屬。「有支」就是所有的煩惱，一共有三界二十五，這屬於法相名詞，就說這三種。他們離開煩惱了，所以叫勝道沙門。

「復有菩薩摩訶薩眾，不假他緣，於一切法智見無障，攝受利樂一切有情，亦名勝道沙門所攝。其勝義僧，及世俗僧，於中或有亦是示道沙門所攝。若有成就別解脫戒眞善異生，乃至具足世間正見，彼由記說變現力故，能廣爲他宣說開示諸聖道法。當知如是補特伽羅，名最下劣示道沙門。證預流果補特伽羅是名第二，證一來果補特伽羅是名第三，證不還果補特伽羅是名第四。復有菩薩摩訶薩衆，是名第五，謂住初地，至第十地，乃至安住最後有身，此皆示道沙門所攝。若有成就別解脫戒，軌則所行，清淨具足，此皆命道沙門所攝，以道活命，故名命道。」

「菩薩摩訶薩衆，不假他緣」，不假他緣，是指菩薩利益衆生的時候，雖然是未成道，他證果方面不如聲聞，不如獨覺，但是利生方面，他超過聲聞，超過獨覺。也有大權示現的，他已經證得了，又回來示現，或者示現凡夫。不假他緣者，他不像其他的沙門一樣，有時候他沒有出家。菩薩摩訶薩不一定都是出家衆，也有在家的菩薩衆，在一切法上，他能夠見著空有不二，悟得中道，智慧有根本智，也有後得智，後得智就是方便善巧。

所以他的正知正見，對於利生上無有障礙，智度上無有障礙，他的目的就是攝受一切有情，度衆生。菩薩多半都是示現的在家衆，因爲他要度衆生，沒有想到自己，所想的都是一切衆生。大家讀〈普賢行願品〉，或者讀〈觀世音菩薩普門品〉，只是成佛度衆生，願一切衆生都成佛，這也是屬於勝道沙門所攝。

其他的還有勝義僧、世俗僧。世俗僧就是未證道的，就是在這個世間，這裡頭包括了初果、二果，還要來人間，三果就不來了，這屬於世俗僧。證得阿羅漢果，才叫勝義僧。一般來說，聲聞教義裡頭，《阿含經》跟〈俱舍論〉裡講，證了初果就算聖人了；在這個地方是分開來說，其他的屬於勝義僧跟世俗僧。

也有的是「示道沙門所攝」。示道，就是給一批衆生說法的佛，或者顯示苦集滅道，或者顯示十二因緣法，或者顯示六波羅蜜，就是三乘之法，他沒有分開。籠統的說，這都屬於示道沙門，這是屬於好的。

還有成就別解脫戒的。「眞善異生」，眞善補特伽羅，也得了解脫有情的，但是不一定是出家衆。異生者就是以法爲生，從法化生。異生是這樣解釋的，是眞解脫了，他能得到解脫了。

還有成就別解脫戒的。善異生別解脫戒，就是比丘二百五十戒，別解脫，持一條戒解脫一分，持一條戒解脫一分，這也算是「善異生」。

眞善就是解脫的意思。乃至於未具足戒，但是他有正知正見。具足了正知正見，見不顚倒，知道一切諸法無常，知道一切諸法皆苦、一切諸法無我、一切諸法皆空，這叫四法印。一切諸法皆是唯一實相，這叫「一實境界」，這叫「一法印」。拿這個印證，有這種知見的，就是正知正見。他求得般若智空，但是不落於斷滅之空，但是示現一切法有，不落於常見，這才叫正見。

「起顛倒見」，他有辨別是非的能力。現在我們當前現實生活當中，有好多人也說佛法，其實他是用外道的觀點來解釋，跟佛所教導的不相合，那就不是示道沙門所攝了。他有沒有具足正見？他的語言是不是正語？是不是合乎佛所教導的？乃至於看那口業當中，有沒有這個惡語，粗獷語、妄語、兩舌？沒有這個就是正語，有這個就不是正語。

有的人，身雖出家，心不出家，貪心還是蠻重的。他示現的好像是佛教徒，但是他所做的不是佛教，他所表現的就是自己，爲了自己的五欲，爲了自己的貪求享受。

舉個例子，修廟的功德無量，誰都知道。但是要看他是用什麼心主導的。要是名利心主導的，修廟就沒有功德，只要這個廟在，他的業永遠存在；這個廟毀了，他的業也消失了。如果攀緣，使用種種不正確的手段，雖然廟修起來，他死了，一定下地獄；等到這間廟全沒有了，這個業才消了。像這種廟不一定住僧眾，有些廟修起來，沒有和尚住，雖然是在家道場，也不算居士，知見都不是正見。這要靠我們的智慧去判斷，是不是正知正見，得靠自己從教義上，印證跟佛所說教導合不合，就知道這個見，是不是正見。

「彼由記說變現力故」，變現力就是有神通，他證得他心智，就具足一種智慧，看著這個眾生應給他說什麼法，就給他開示什麼法，這都屬於記說變現力。這些補特伽羅，就是最下劣的示道沙門，這一個示道沙門都是哪一類的呢？以下就舉了「證預流果補特伽羅」，預流果就是初果，初果的聖人就是須陀洹，他還要在人間天上七返生死，才證阿羅漢果，那就不退了。也就是把眼耳鼻舌身意，眼觀色、耳觀聲、舌知味、鼻嗅香臭、身接觸，分別心斷了，斷了八十八使的見惑。預流是預了聖人的流，這一類眾生補特伽羅，這一類有情要比前面的高一點，也就是比那記說的宣揚佛法的要高一點，這不屬於勝義僧攝，而是示道沙門。

「證一來果補特伽羅是名第三」，第三果，還來人間一回，人間天上，只來一次，他就證得四果阿羅漢，叫斯陀含果。證不還果的補特伽羅是名第四。

「不還」，就是再不來人間了，這叫阿那含果。他已經把第三品的思惑斷了，但是還不能斷習氣，還不能斷無明，這叫第四種。

「復有菩薩摩訶薩衆是名第五」，依照四教五教判教的涵義，菩薩摩訶薩是指通教的。小、始、終、頓、圓，小教、始教、通教的菩薩，因爲下面說的是初地至十地，也是住最後身，這是證得的，跟阿羅漢相等，到七地才跟阿羅漢相等的。圓教不是如此，圓教的初住菩薩就是這樣的。這一類所說的都叫示道沙門，示道沙門自己有正知正見，佛法理解了，他也能夠利益衆生，讓衆生理解。

「成就別解脫戒」，對於他所受的戒清淨不犯，乃至所做的一切，都按佛所教導的規則來行事，這個規則包括了應該做的事情都去做。佛的戒有兩種，一種是止持，這件事不能做；還有作持，你必須得作。例如說一位比丘犯了錯誤，大家必須給他做羯磨法，僧衆就做羯磨法事，這叫辦事，應做的必須得做。還有寺廟裡頭，應該負的責任都應當去做。作持的內容很多，都是比丘應當做的，這叫規則。

佛教傳到中國來，中國的百丈禪師，就制訂了中國的清規戒律，因爲寺廟住很多人，不能照佛制那樣去做，因爲在我們的國土上，生活情況有所不同，他就另訂清規戒律。像我們穿衣服，上早晚課上殿，佛在世並沒有早晚殿，百丈禪師就把這些咒語、大乘經典摘一些，像早上起來念〈楞嚴咒〉，晚上也是拜八十八佛，或是念《彌陀經》，這是早晚的功課，都屬於規則，都屬於戒律。

出坡、掃地、上山種地，佛在世是不許種地的，因爲會傷到衆生。到了我們的國土，不這樣做不行，因爲寺廟都在山裡頭，你自己不種，吃的從哪兒來？佛在世時候也要訂了一些規則。凡是所訂的規則，乃至於戒律所束縛的、應該做的事情，這些都做的很好，就「清淨具足」。這個叫「命道沙門」，就是以道活命。

不許可的是醫卜形相。現是末法了，和尚去當醫生還是很好的、很清高的，在佛戒上可不許，這叫邪命致活，有五種邪命。《占察經》不是邪命嗎？不是，《占察經》只是爲你修道，地藏菩薩特別說的。所以當堅淨信菩薩請佛說法的時候，問佛說：「末法衆生，懷疑心特重，怎麼來斷衆生的疑？佛請地藏菩薩說，佛自己沒有說。因爲佛制過戒，這是不許可的。

地藏菩薩就善巧方便了，他爲了達到「一實境界、二種觀道」，使用占察輪的時候，不要懷疑，如果以這個求名利，或者給人家打卦收錢，那就犯戒了，不許可的。占察輪主要的目的是爲你占察，你自己貪瞋癡斷了好多，現在是不是證得了？我們自己是否已證了五品位，自己還不知道，你要占察一下。現在我可以不可以修二種觀道？因爲依《占察經》

上說，如果輪相沒有清淨的時候，不許可你修二種觀道，修不成的，修了也容易著魔。占察輪是要你斷魔的，懂得這個涵義就行了。所以這些沙門都是「命道沙門所攝」，以道活命，故名命道。

「復有菩薩摩訶薩眾，爲欲攝受利益安樂一切有情，具足修行六到彼岸，亦名命道。如是勝道、示道、命道三種沙門，名爲世間眞實福田。所餘沙門名爲汙道，雖非眞實，亦得墮在福田數中。」

大菩薩利益眾生，使一切眾生有情都能覺悟。那得攝受他們，要給他們好處，他們才相信。布施，菩薩也要行布施，慈悲眾生。要愛語，同事利行，做對他有利的事情，他就高興了，就跟你親近了。這樣你才能夠攝受他、度他。再進一步就修習布施、持戒、忍辱、禪定，這個六度萬行，乃至禪定、般若，這些也叫命道。大小乘裡頭都有命道沙門，都有示道沙門，這是三乘共的。

「如是勝道、示道、命道三種沙門，名爲世間眞實福田」，供養這些命道沙門，示道沙門，勝道沙門，福德當然更好更大，這都是世間眞實福田。「所餘沙門」，除了這三種之外，就是「汙道沙門」。汙道沙門，就是破戒的比丘，戒律不清淨，或者規則不清淨，對三寶有污染，但是不是眞實的。

所以雖然不是眞實的，佛說他們也算是福田僧。爲什麼呢？在末法時候，勝道沙門、示道沙門、命道沙門沒有了，要在汙道沙門裡頭去揀擇，所以你們還是要供養，還是要尊敬他們，這就是答覆金剛藏菩薩所問的。

「若有依止無慚愧僧補特伽羅，於我正法毗奈耶中名爲死屍，於清眾海應當擯棄，非法器故。我於彼人不稱大師，彼人於我亦非弟子。有無慚僧，不成法器，稱我爲師，於我舍利及我形像，深生敬信。

於我法、僧，聖所愛戒，亦深敬信。既不自執諸惡邪見，亦不令他執惡邪見，能廣爲他宣說我法，稱揚讚歎，不生毀謗，常發正願；隨所犯罪，數數厭捨，發露懺悔，眾多業障，皆能除滅。當知如是補特伽羅，信敬三寶聖戒力故，勝九十五諸外道眾多百千倍，非速能入般涅槃城，轉輪聖王尚不能及，況餘雜類一切有情。以是義故，如來觀察一切有情諸業法受差別相已，作如是說：於我法中，剃除鬚髮被袈裟者，我終不聽剎帝利等毀辱謫罰，若有毀辱謫罰一切出家之人，所獲罪報如前廣說。」

無慚僧雖然不是法器了，在這裡還要揀擇一下。所以說汙道沙門也要供養，就是這個涵義。無慚無愧的補特伽羅，就是他犯了戒、破了戒，他不懺悔，對於三乘法，特別是對正法的毘奈耶戒也不修。

死尸就是人死了，尸體還未腐爛，在大眾的清淨海裡是不能容許的，將他擯出僧團之外。雖然他不是法器，但是這裡頭有一些人還是有點好的。對這些人，他們也不是佛的弟子，但是有些無慚愧的僧，他還是稱佛為師的。

為什麼呢？他於佛舍利及佛的形相還是深生敬信，對於佛的法，「亦深敬信」，他雖然是沒有慚愧、不成法器，但是他還是以佛為師。對於佛的舍利、形相，還是深生敬信。對於所受的戒，他還懷著「深敬信」，深切的、誠敬的信心。

他說的還是正法，他讓你去除邪倒見，教導你去我執，教導你修空觀，要對一切法不執著，他能夠向一切眾生宣說佛的法，還能夠「稱揚讚歎，不生毀謗，常發正願」。發願，那麼「隨所犯罪，數數厭捨」，厭捨就懺，厭捨不再犯了。知道那個事做不得，不做了，還能夠發露懺悔，眾多的業障皆能除滅。雖然是他做了很多的罪，也有很多的業障，就是因為懺悔的關係，能夠清淨，又回復清淨了。

先說無慚愧僧，後面又說在無慚愧僧裡應當擯除不成法器的，但是還是有些有悔改表現的，這些出家衆比五十九種外道，比世俗上的要好多了。雖然現在他還不能夠就證入涅槃，還不能成道；但是他的功德、福德、智慧還是在的。「轉輪聖王尚不能及」，這一類的比丘，就是轉輪聖王的福德智慧也沒有這些比丘的福德智慧大。「況餘雜類一切有情」呢？其他的有情更不能比了。

以這個道理，如來知道一切衆生，一切有情的業，他的法，他的差別。不能夠籠統說一切相，籠統說都是無慚愧僧，都是汙道沙門。但是汙道沙門裡頭還有好一點的，哪一類衆生都有上中下。汙道沙門裡還有上品的，也有中品、下品的。因爲這樣，佛才作如是說。「於我法中剃除鬚髮被袈裟者，我終不聽剎帝利等毀辱謫罰。」就是這樣的意思。

爲什麼佛不聽許剎帝利這些國王世間法律制裁呢？因爲他剃除鬚髮，被了袈裟，他所種的福德，那個法幢相還存在著。要是毀辱他，遣責他，一切出家之人所獲罪報，如前廣說，在〈無依品〉裡頭已經說得很多了。

「又依我法捨俗出家，剃除鬚髮，被赤袈裟，即爲一切過去未來現在諸佛慈悲護念。威儀形相。所服袈裟，亦爲過去未來現在諸佛世尊慈悲守護。是故輕毀剃除鬚髮被赤袈裟出家人者，即是輕毀一切過去未來現在諸佛世尊。由是因緣，諸有智慧，厭怖眾苦，欣求人天涅槃樂者，不應輕毀捨俗出家剃除鬚髮被袈裟者。有無慚僧，毀破禁戒，不成三乘賢聖法器，既自堅執諸惡邪見，亦能令他執惡邪見，謂爲眞善剎帝利，眞善婆羅門，眞善宰官，眞善居士，眞善沙門，眞善長者，眞善筏舍，眞善戍達羅。」

三世諸佛是守護那個袈裟的，那個袈裟就是一切諸佛的法幢相。因爲這個緣故，對於剃除鬚髮被赤袈裟出家人，不聽許在家人、國王、大臣乃至婆羅門等，對他們逼害，對他們侮辱，反而應當供養他。由於這個因緣，佛才這樣說的，也就是給金剛藏菩薩作答覆的。

因此，一切要想求福業的人，就不應該輕視這些出家人。管他破戒也好，還是要尊敬他，供養他，你就能得到福德。

「有無慚僧、毀破禁戒、不成三乘賢聖法器，既自堅執諸惡邪見，亦能令他執惡邪見。」這就是惡知識了，前面的汙道沙門有兩種，前面那種是好的，還可以親近，還可以供養。這個就是壞的，如果有好國王有眞善國王，眞善婆羅門、眞善宰官、眞善居士，眞善說就是求解脫的，乃至眞善長者、眞善筏舍、眞善戍達羅，就是四種種姓。

「若男若女說諸世間無父無母，乃至無有善業惡業所得果報，無有能得聖道果者，一切諸法，不從因生，或有執言，色界是常，非變壞法。或有執言，無色界常，非變壞法。或有執言，外道所計諸苦行法得究竟淨。或有執言，唯聲聞乘得究竟淨，非獨覺乘，亦非大乘，於聲聞乘，信敬稱讚，宣說開示，於獨覺乘及於大乘，誹謗輕毀，障蔽隱沒，不令流布。或有執言，唯獨覺乘得究竟淨，非聲聞乘，亦非大乘，於獨覺乘信敬稱讚宣說開示，於聲聞乘及於大乘，誹謗輕毀障蔽隱沒不令流布。或有執言，唯有大乘得究竟淨，非聲聞乘，非獨覺乘，於大乘法，既自生信，教他生信，既自恭敬，教他恭敬，既自稱讚，教他稱讚，既自書寫，教他書寫，既自讀誦，教他讀誦，既自聽受，教他聽受，既自思惟，教他思惟，於他有情，若是法器，若非法器，皆爲廣說開示解釋微細甚深大乘法義。於聲聞乘，及獨覺乘，誹謗輕毀障蔽隱沒不令流布，自不生信，障他生信，自不恭敬，障他恭敬，自不稱讚，障他稱讚，自不書寫，障他書寫，自不讀誦聽受思惟，障他讀誦聽受思惟，不樂廣說開示解釋二乘法義。」

這段經文是說惡性很深，邪見很深的惡知識。這位求解脫的國王，或者是四類種姓的，不論是男是女，不應當跟著這些人學，不應當親近這些惡知識。這些壞人，不論是男衆女衆，怎麼辨別他的惡邪見呢？他說世間無父無母，就是現在好多人，忤逆的。這是不信父母、傷害父母、殺害父母的。這個言說，恐怕大家都聽過，我們不需要詳細解釋。現在經常看到殺父殺母的事情，過去很少，現在業愈來愈重。

撥無因果，做善得善報，做惡得惡報，他不信。認爲人死了就了，他就盡量的造惡，放縱五欲。根本就沒有能得到成聖，證道果的，他認爲這是騙人的、不眞實的，他認爲一切諸法都不從因生的，沒有因果。還說色界是常的，永遠不變化的。乃至於說無色界是常的，也永遠不變化的。或者執言外道的那些苦行，就像食火婆羅門行苦行，乃至於飢餓的婆羅門，乃至拜牛拜狗，這都是外道。他說這些法能夠得到究竟淨。

或有執言，也就是執著說，唯有聲聞乘才能得到究竟淨，獨覺乘、大乘都不能得，這是執著聲聞乘而毀謗獨覺乘毀謗大乘。或者於獨覺乘，他有信心，於是他又毀謗聲聞乘，對三乘法，他並不是平等的。他信執一而非其二，他信聲聞法，就毀謗因緣法，毀謗六度法。那個因緣法、六度法就漸漸隱沒了。

或者反過來說，他執著獨覺乘，對聲聞乘、對大乘也毀謗。或者他執著大乘，對聲聞、獨覺乘也毀謗，不許別人學，乃至於使它隱沒，不令它流布。

在三乘法中互相的執著，互相的毀謗，他信哪個就說哪個好，讓別人信這個，讓弟子們都不要信其它的。他信的就恭敬，他不信的就毀謗。自己如是教，教他也如是。他自己稱讚聲聞乘好，他就讚歎聲聞法，《阿含經》、〈俱舍論〉好。六度萬行跟十二因緣都不好，他自己如是說，也教別人如是。他自己如是書寫，也教別人書寫。

有些學大乘法的，就學《法華經》說，二乘人是焦芽敗種。那是佛在呵責他們，因爲他們不發菩提心，你要是執著這個，也是錯誤的。三乘法都好，佛所說的一切法義，佛所教導的都是對機說的。

對機說的，三乘法平等，不能信這個，就謗毀那個，如果是這樣，就是毀滅佛法。乃至說只有修布施才能得到究竟淨，持戒、忍辱、學智，都沒有用，修禪定都沒有用。或者他又執著學禪定有用，乃至於你持戒、布施、忍辱、學般若都沒有用，就是執一而非其他。在六度萬行裡也是這樣子，他在六度萬行執一度，而非其他的五度。

「或有執言，唯修布施得究竟淨，非戒非忍，乃至非慧。或有執言，唯修禁戒得究竟淨，非施非忍，乃至非慧。或有執言，唯修安忍得究竟淨，非施非戒，乃至非慧。或有執言，唯修精進得究竟淨，非施非戒，乃至非慧。或有執言，唯修靜慮得究竟淨，非施非戒，乃至非慧。或有執言，唯修般若得究竟淨，非施非戒，乃至非定。或有執言，唯修種種世間所習諸伎藝智得究竟淨。或有執言，唯修種種投巖赴火自餓等行得究竟淨。」

「或有執言，唯修布施得究竟淨，非戒非忍」，也不是戒，也不是尸羅波羅蜜，也不是忍辱波羅蜜，乃至於也非般若波羅蜜。或有執言，唯修禁戒得究竟淨，修尸羅波羅蜜才能得到究竟清淨，其他的波羅蜜都不好，這是佛所呵責的。這就是惡性的執著惡見，這叫執著邪見。外道更不用說了，或者修種種的投巖、赴火、自餓，以爲修這些行門才究竟，這是顛倒說。這裡是舉例，投巖，到了山頂，跳到山崖，以爲跳了就成道了。

在峨眉山有個捨身崖，《法華經》上妙喜菩薩燃身自焚，這不是常法，不能取以爲例的。大乘經典有如是說，那是個別的因緣。外道所說的投巖赴火自餓，認爲能得到究竟的清淨，這是錯誤的。

「善男子！如是破戒惡行苾芻非法器者，種種誑惑眞善法器諸有情等令執惡見，彼由顚倒諸惡見故，破壞眞善剎帝利王，乃至眞善戍達羅等。若男若女，所有淨信戒聞捨慧，轉剎帝利成旃荼羅。乃至筏舍戍達羅等成旃荼羅，此非法器破戒苾芻，并剎帝利旃荼羅等，師及弟子俱斷善根，乃至當墮無間地獄。善男子！如人死尸，膖脹爛臭，諸來見者，皆爲臭熏，隨所觸近爛臭死尸，或與交翫，隨被臭穢之所熏染。如是眞善剎帝利王，乃至眞善戍達羅等若男若女，隨所親近破戒惡行非法器僧，或與交遊，或共住止，或同事業，隨被惡見臭穢熏染。如是如是，令彼眞善剎帝利王，乃至眞善戍達羅等若男若女，退失淨信戒聞捨慧，成旃荼羅，師及弟子俱斷善根，乃至當墮無間地獄。」

這是總結。這些破戒的惡行比丘，他不是法器，不是盛法的器皿，他是邪知邪見，妄言誑惑。眞善的法器，對眞正的修行人、眞正的正知正見人，勸他起惡見，勸他放棄正見。他自身有顚倒惡見，破壞好的國王、好的商人，乃至於好的下賤種族。戍達羅是下賤種族，就是四姓當中最低下的種族，都使他們起惡見。

在印度，種族階級的成份非常的嚴重。離婆多尊者，是持戒第一的，他在這宮廷裡頭本來是給皇帝剃髮的，阿難出家的時候，佛就讓他禮離婆多尊者的足，阿難不禮。他說：「這是我的剃髮下人，我怎麼來禮他呢？」佛說：「入了佛法，平等平等。他是上座，他出家比你早，他已證得阿羅漢果了，你應當禮。」在佛，法是平等的。佛度衆生，不分階級，平等度。所以佛是因機說一切法。

三乘法，小乘的是四諦法，緣覺乘的是十二因緣法，菩薩乘的是六度萬行，這都是舉其大意而說的。律藏的藏經，裡頭也含著大乘的義理。像念阿彌陀佛，那就是大乘的意思，這是在戒經裡頭說的。有些法叫我們善於學，但是這是說惡性比丘、破戒比丘，他就引導這些人，讓他們或者信戒，把慧捨掉，把布施捨掉，把眞善的剎帝利王，轉成到旃茶羅剎帝利王。或者眞善的筏舍、戍達羅都轉成旃茶羅，都轉成惡性的，跟著他走。非法器的破戒比丘，把這些人都引導成了惡性的。

提婆達多教阿闍世王殺他父親，讓他去篡奪皇位，那就是五逆罪。他要當佛，就搬石頭擲佛，想把佛擲死，擲到佛的腳上，出佛身血，當時下地獄，這就是惡性代表。

這是非法器破戒比丘，乃至於跟他走的，信他的，生了惡見的。這些剎帝利旃茶羅王，乃至於戍達羅的旃茶羅都成惡性的。「師及弟子俱斷善根」，不論教者，乃至是他的弟子善根斷了，「當墮無間地獄」。

大家都下無間地獄。

「令彼眞善剎帝利王，乃至眞善戍達羅等，若男若女退失淨信戒聞捨慧」，捨就是布施，慧就是智慧，聞就是聞法。把淨戒聞法智慧全都捨掉了，成了惡性旃荼羅，善根俱斷了，當墮無間地獄。

所以佛跟金剛藏菩薩說，我所說的應當供養，是有揀擇的，不是無揀擇的。惡的善的兩個略分別一下，都是汙道沙門，但是汙道沙門裡頭，還有一部份是好的。

這個意思是說依著三寶，依著善修行，就能成道；如果是退到無依，你所修行的沒有功德，退到〈無依行品〉。〈無依行品〉跟〈有依行品〉兩個要合起來講的。爲什麼要無依而不依三寶，沒有正知正見，那就墮無間地獄。依著三寶，有正知正見，那就是示道沙門、命道沙門、勝道沙門，就含著這個意思。惡的講完了，佛又講善的。

「善男子！汝觀如是剎帝利等無量有情，親近如是破戒惡行非法器僧，退失一切所有善法，乃至當墮無間地獄。是故欲得上妙生天涅槃樂者，皆應親近承事供養勝道沙門，諮稟聽聞三乘要法，或求示道命道沙門。若無如是三道沙門，當於汙道沙門中求，雖復戒壞，而有正見，具足意樂及加行者，應往親近承事供養，諮稟聽聞三乘要法，不應親近承事供養加行意樂及見壞者。彼雖戒壞，而無邪見，意樂加行見具足故，應詣其所，諮稟聽聞聲聞乘法、獨覺乘法及大乘法，不應輕毀。於三乘中隨意所樂，發願精進，隨學一乘，於所餘乘不應輕毀。若於三乘隨輕毀一下至一頌，不應親近或與交遊，或共住止，或同事業，若有親近，或與交遊，或共住止，或同事業。俱定當墮無間地獄。」

前面講十惡輪，隨有一惡輪，不但退失今生的善法，你多劫所修行善法都退失了。「一念瞋心起，百萬障門開」，不但退失，你往前盡是障礙。起一念瞋心、起貪心，本身就是愚癡，就含著無明了。如果沒有無明惑，就是智慧光明照了。他不會起貪，也不會起瞋，那是善惡兩塗。

我們多生累劫以來，爲什麼不能成道，就是進進退退。今生遇見善知識，向前就進了好大一段，之後又遇見惡知識，又退回來了。這樣進進退退，進進退退，時間就長了。

拜懺，修行，念佛號、聖號，或者念觀世音菩薩，或者念地藏菩薩，隨便你作什麼，都是向前進的。要是能夠在臨命終時堅持，如果能有宿命智，在來生你就知道我前生做什麼，你就不會再做惡了。你今生最少必須修到的是宿命智。

你想得到上妙生天涅槃的快樂，應該怎麼樣呢？應該「親近承事供養勝道沙門」。現在是末法，那兒去找證得羅漢果果位？還能見著佛？

不可能。你怎麼辦？你在汙道沙門找一個也好，可別找破戒惡行，邪知邪見的，那會把你引到地獄。

勝道沙門沒有了，那麼就找示道沙門，這個也不容易。現在我們也不認識，也沒有得到這個慧。命道沙門也好，「若無如是三道沙門」，勝道沙門也沒有了，示道沙門你也遇不到，命道沙門你也遇不到，怎麼辦呢？「當於汙道沙門中求」吧！

現在連汙道沙門都難得遇到，這汙道沙門雖然是戒壞了，但是有正見，他見不壞。破戒的，佛還能夠救，破見的佛沒法救。他不信，你怎麼說，他都不信。

顛倒見雖然生起了，他對佛法還是有意樂的心，還有求的心。加行就是善巧方便，他要修。這加行就是方便道，不一定像西藏說的四加行。我們現在讀誦經，禮拜，懺悔，乃至稱聖號都算是加行道。

那你就應該「親近承事供養，諮稟聽聞三乘要法」，勝道沙門你遇不到了，命道沙門你也遇不到了，乃至示道沙門都遇不到了。怎麼辦呢？到了最後連汙道沙門也見不到了，披袈裟的都沒有了，法就滅了。眞正法滅了，想請一部經，也見不到了。你別看現在法寶很多，到了滅的時候，一下就沒有了。我們不知道那是什麼力量，它就是沒有了。

大陸上就是這樣。好多的寺廟裡，藏經樓都封起來，經是在那兒，你不敢看，你也拿不出來，看了就犯法，犯罪。這就是我們前面所講的。那個旃荼羅王，就是旃荼羅的法，惡法，你沒有辦法。他雖然是破了戒，但是見還很好，沒有邪見。那麼，他有意樂，意樂就希望，他歡喜心，他對佛教有歡喜心，他還去做加行。「應詣其所，諮稟聽聞聲聞乘法、獨覺乘法及大乘法，不應輕毀」，對他要生恭敬。

「於三乘中隨意所樂，發願精進」，三乘的法，隨便你喜歡那個法，你修那法就好了。「隨學一乘」，不定，你哪個因緣種得深厚，你就學那個，這個要隨緣。我想學聲聞乘法，你遇不著《阿含經》，遇不著〈俱舍論〉，又怎麼學呢？同時你遇到這個老師，他沒有學過〈俱舍論〉，也沒有學過《阿含經》，他又跟你講什麼呢？他學什麼，你就學什麼。

我在廈門南普陀寺恢復閩南學院的時候，那時我是教務長，你到哪裡請老師？中斷了。學生二十來歲，我們那時候七十多歲，你要想找個四五十歲的老師，沒有了。

以前的閩南佛學院是修唯識宗的，可是現在想請老師講講〈八識規矩頌〉沒人可以講，都沒學過；有學四教的，有學五教的，有學淨土的，他就會講《阿彌陀經》。怎麼辦？你會什麼，就教什麼，所以教的很複雜。課程不夠，我請幾個廈門大學的老師，老教授來，文學也要學，我們也有英語、日語，那就教的很複雜。為什麼呢？隨緣。你要想決定學什麼，沒有了，怎麼辦？還有教的課程，學生得有書本，沒有書本怎麼學？用油印，在圖書館裡頭請幾本，找別人翻印，就教去了。

三乘經典，隨便他要學哪一部，就可以共同去學，但是不應當輕毀。

可是那個惡行的，你不能跟他親近，不能跟他交遊，你要是一親近跟他交遊，那你可就倒霉了。

所以學三乘法的時候，或者學顯教的時候，我們爲了種福，不要謗毀其他的乘。不論哪一個法師講經，你都讚歎隨喜，莫要生謗毀。你不必評論他講的好、講的壞，你要是跟他有緣，高興聽你就聽，不高興聽你可以不聽，那沒有什麼錯。你要是謗毀，無緣無故給自己找些煩惱，找些罪受。沒罪，你要找些罪受，又何必呢？不論對人，對法，你心裡總有一個佛法僧三寶。我們講《占察善惡業報經》，念佛、念法、念僧的功德大得很，你念法的時候，三藏十二部一切經，十方諸佛所說的法都在裡頭，沒有揀擇的。

一切勝僧，可以引起你的好樂。因爲有凡僧，你就可以想到聖僧；因爲有聖僧，你可以想到佛，你的功德就種下去了。

「善男子！是故若欲於三乘中，隨依一乘，求出生死，欣樂安樂，厭危苦者，應於如來所說正法，或依聲聞乘所說正法，或依獨覺乘所說正法，或依大乘所說正法，普深信敬，勿生謗毀，障蔽隱沒下至一頌，常應恭敬讀誦聽聞，應發堅牢正願求證。謗毀三乘隨一法者，不應共住，下至一宿，不應親近諮稟聽法。若諸有情，隨於三乘毀謗一乘，或復親近謗三乘人諮稟聽受，由此因緣，皆定當墮無間地獄，受大苦惱，難有出期。」

所以「善男子！欲於三乘中，隨依一乘，求出生死欣樂安樂」，你厭離這些危難，厭離這個社會。要出生死，應於如來所說的正法，或依聲聞乘所說的正法，或依獨覺乘所說的正法，或依大乘所說的正法，普深信敬。普是普遍的深，不是淺見，而是深深的信仰。你要是證到四阿羅漢果位，神通也無礙了，能知道八萬大劫的事，不錯了。但是你不住於這個定中，這就是菩薩。

但是請「勿生謗毀，障蔽隱沒」，若是謗毀障蔽隱沒，這屬於嫉妒心理。他信這個法，就只想弘揚這個法，他怕別人也弘揚。看人家廟上的弟子很多，他產生障礙，就會破壞造謠，這是末法的特點，也就是現在的特點。

不只出家人，我們在家居士也是這樣。這我們不舉例了，大家都可以明白，一天當中都可以碰得到的，但我們不要做。三乘所說的法都好，如果你的願力不堅定，見不正，願就不正。你沒有正願，沒有正見，你就不會產生正願了。歪門邪道的，你想證得出離苦海，不可能。

如果「謗毀三乘法隨一法者，不應共住」，現在這個住的權利，大眾僧也沒有了。像南普陀寺，那兒住五百多個人，現在要是看那個不好，把他擯出去，他可以到宗教局告你。我說：「他破戒了！」他說：「沒看他犯什麼錯誤，一個和尚怎麼能跟女人幹什麼？這不犯法！」你怎麼辦？哈！你還請他住吧！

到了這個時代，應當知時，知道這是什麼時候；應當知界，知道你在哪一個國界裡頭。還得知因、知緣、知法、知業，有智慧的，你應當隨緣，這叫隨緣。但你自己可別變，若他喝酒，我也喝，他找女人，我也找。或者女的，她找男人，我也找。女衆佛學院還俗的也很多，在這個社會末法的時代，就是這樣。如果這樣，你要墮無間地獄的，哪有出期。

「何以故？善男子！我於過去修菩薩行，精勤求證無上智時，或爲求請依聲聞乘所說正法下至一頌，乃至棄捨自身手足血肉皮骨頭目髓腦，或爲求請依獨覺乘所說正法下至一頌，乃至棄捨自身手足血肉皮骨頭目髓腦，或爲求請依於大乘所說正法下至一頌，乃至棄捨自身手足血肉皮骨頭目髓腦。如是勤苦，於三乘中，下至求得一頌法已，深生歡喜，恭敬受持，如說修行，時無暫廢，經無量劫，修行一切難行苦行，乃證究竟無上智果。復爲利益安樂有情，宣說開示三乘正法，以是義故，不應謗毀障蔽隱沒下至一頌，常應恭敬讀誦聽聞，應發堅牢正願求證。」

什麼緣故呢？「善男子」，「我於過去修菩薩行，精勤求證無上智時」，佛自己引證自己說，在過去行菩薩道的時候，想證得佛的智慧，那個時候，請佛說一句偈子，就要捨身命供養佛。大家看釋迦牟尼佛的傳，那一類的故事太多。爲求一偈，爲求半偈，要捨身命的，棄捨自身的手足血肉皮骨頭目髓腦。只要求到法，心生歡喜恭敬受持。如果拿身命捨手足那樣來換，你那恭敬心、信樂心、求證心，勇猛得很。

現在要我們在這兒聽經，我不說捨手足，只要捨上二天，捨上三天，好好閉閉關，修行修行，想想那句話都捨不得，沒有那個時間，還捨手足？還捨頭目？我們沒有這個力量。爲什麼呢？必須得信心堅定。要堅定的清淨信心，你才做得到。我們天天說要六時修行，經本上是這麼說，自己實在做不了，應該生慚愧心。

拜懺的時候，不知我們道友有沒有想過？應當對你現在的肉體生起慚愧心。大家對「我」是很愛護的，盡在「我」身上打主意，吃什麼身體好一點，氣力加一點，有什麼毛病檢查一下子。其實應當另外打個主意，怎麼讓我成就，讓大家互相成就。成就了，將來我們在一塊才能脫離苦海。你別在身體上儘打些主意，沒有不死的，誰的身體都保存不住的。你想保持永遠那樣，不可能。不死？要是這個世界上不死，這個人口早擱不下了。

離開這個苦，要行苦行。難行的能去做，我們應當怎麼辦呢？能夠做得到的，拜拜佛念念經可以嗎？你說這個也不可以，我是在上班，念念佛可以！不出聲念可以！心裡想也可以！你就照顧好自己的念頭。

就像《占察善惡業報經》下卷經文，他要你一天二六時中照顧你的念頭，一起念就注意一下，爲什麼生起這個念？這就叫修行。

所以三乘正法，不應該毀謗隱蔽，乃至一句話就可以開悟。又應當恭敬，讀誦聽聞。不過有時候，佛又呵責讀誦、呵責聽聞。所以佛對阿難呵責：「阿難縱強記，不免落邪思。」他一天聽法聞法，遇到摩登伽女，他就沒有辦法了，容易產生邪見。

但是，我們恭敬聽聞讀誦，當下就有六方佛護念你，東西南北上下六方佛，不是一方，前面舉了幾個代表，後面就是恒河沙數，六方的恒河沙數諸佛護念你。

還有大家讀《彌陀經》有沒有注意到，我今生生不了，那沒有關係；今生生不了，來生一定生；來生生不了，再來生還能生。有三句，「若已生」，已經生極樂世界去了。「若當生」，我今生念的，我就能生到極樂世界。若已生若今生，今生一定能生到，生不到也沒有關係，六方佛護念我。「若當生」，當來一定能生，你要念阿彌陀佛，念《彌陀經》，你就發這個願，我已經到了極樂世界，現在沒去沒關係，晚一點兒去都沒有關係。你這個機票沒有買到，隔幾天再買，總是有飛機飛就行了。飛機要是不起航，你沒有辦法，我們那個極樂世界永遠都起航的，因爲是你自己心裡生起的。

所以有些人說：「師父我生不到，怎麼辦？」我說：「怕啥！生不到，來生再生。來生還生不到，再來生，六方佛護念你一定能生。要是不能生的話，釋迦牟尼佛就打妄語。」《阿彌陀經》說得很清楚，「若已生、若今生、若當生」，先走是給你做證明。今生有很多人去，我現在沒有去，沒去就再等下班飛機，都是一樣。所以應當有這麼一個信念，有這麼一個勇猛精進的正願，有個求證的心，這是主要的。

「善男子！如是三乘出要正法，一切過去未來現在過殑伽沙諸佛同說，大威神力共所護持，爲欲拔濟一切有情生死大苦，爲欲紹隆三寶種性令不斷絕，是故於此三乘正法，應普信敬，勿生謗毀，障蔽隱沒，若有謗毀障蔽隱沒三乘正法下至一頌，決定當墮無間地獄。」

「善男子！如是三乘出要正法，一切過去未來現在過殑伽沙諸佛同說」，這句話不只釋迦牟尼佛這樣說，過去的現在的未來的，像恒河沙數那麼多佛，他們也是這樣說，是「大威神力共所護持」。過去現在未來諸佛護持什麼呢？護持三乘出要正法的信者，使一切有情能夠脫離生死大苦，也能「紹隆三寶種性，令不斷絕」。「三寶種性不斷」，一切衆生都能離苦。「是故於三乘正法應普信敬」。

到最後，要你信聲聞乘緣覺乘、菩薩乘，你不要生毀謗，不生障蔽隱沒，不要以自己所信仰的就爲是，其他的就爲非。我們這個毛病很大、很重，這叫業障。業障是什麼樣子？就是這樣。要是隱蔽了三乘正法，決定墮無間地獄。

「復次善男子！於未來世此佛土中，有剎帝利旃荼羅，婆羅門旃荼羅，宰官旃荼羅，居士旃荼羅，沙門旃荼羅，長者旃荼羅，筏舍旃荼羅，戍達羅旃荼羅，若男若女，諂曲愚癡，懷聰明慢，其性兇悖，憆厲麤獷，不見不畏後世苦果，好行殺生，乃至邪見，嫉妒慳貪，憎背善友，親近惡友，非是三乘賢聖法器。或少聽習聲聞乘法，便於諸佛共所護持獨覺乘法、無上乘法誹謗毀呰，障蔽隱沒不令流布。或少聽習獨覺乘法，便於諸佛共所護持聲聞乘法、無上乘法誹謗毀呰，障蔽隱沒不令流布。或少聽習無上乘法，便於諸佛共所護持聲聞乘法、獨覺乘法誹謗毀呰，障蔽隱沒不令流布。爲求名利，唱如是言，我是大乘，是大乘黨，唯樂聽習受持大乘，不樂聲聞、獨覺乘法，不樂親近學二乘人。如是詐稱大乘人等，由自愚癡憍慢勢力，如是謗毀障蔽隱沒三乘正法不令流布，憎嫉修學三乘法人，誹謗毀辱，令無威勢。」

「懷聰明慢」是不聰明，慢不是聰明的表現，這個聰明是因爲他認爲自己比別人強，明明不及人家，還認爲自己比別人強，處處都不如人。我們自己問自己好了，每個人都具足這一點，經常看不起別人，總感覺自己不錯，這是我執。其實是你看見別人都比任何人好，那時你最好了，這個他體會不到。自己明明是愚癡，他還認爲自己聰明，他有這個慢心。

「其性兇悖」，悖就是不好受調順的。我們看牛或馬，驢子拿鞭子緊揪把牠綁在柱子上，牠還是不改，墮了畜生，牠那個性悖逆得很。「懆厲麤獷」，行動很不守規則的，就是那樣，說話也很粗獷的。

爲什麼他這樣做呢？他不怕後世，不信因果，這樣的人不是三乘的法器。聲聞乘、緣覺乘、菩薩乘都不是法器。或者是稍許聽見一點聲聞乘法，聽到苦集滅道法，他就破壞了。他聽到一點的聲聞法，他認爲不得了，對獨覺乘法、上乘法，毀謗的很厲害。

斯里蘭卡、泰國的佛法是很好的。我們有很多弟子到那裡去留學，那是佛在世時純粹的佛法。但對中國的大乘乃至西藏密宗，他們絕對不相信。中國學大乘法的人，特別是學禪宗的人，對於戒律，對於聽經，大多數擺腦殼。在鼓山的時候，禪堂跟我們的學堂，不是抬槓，就是爭利。哪個堂口東西多，哪個堂口的生活好一點，就爭這個，忘了三乘法，就是這樣。

於諸佛所共護持的三乘法，他聽了聲聞乘法，就毀謗獨覺乘法，毀謗大乘法。他聽了獨覺乘法，就毀謗聲聞法跟大乘法。聽了大乘法就毀謗聲聞、獨覺法，想令他隱蔽，不讓他流布。但有個基本條件，「爲求名利，唱如是言」，他的內心是爲了名利，不是爲了法。

他是大乘的，就是大乘黨。聲聞乘就是聲聞乘黨，獨覺乘就是獨覺乘黨了，黨同伐異。你們大家都一樣，我們是一黨的，我們都是大乘。那個獨覺乘他是二乘，我們跟他不一樣，那就排斥他。黨同伐異，攻擊異端，你要是變成幾個黨，怎麼會不攻擊？互相攻擊，想和平共處，不可能。我要是上來，就把你壓下去，就是這樣。

如是詐稱大乘人等，加個「詐」字，他不是大乘。若他眞是大乘，眞是菩薩，他不會毀謗任何一法的。地藏菩薩弘揚地藏法門，他沒有謗觀音，觀音也到這裡來助他宣揚。金剛藏菩薩是空的，虛空藏菩薩都是空的。

他不是大乘，而是詐現大乘，不是眞正大乘。由於自己愚癡憍慢的勢力，他有一定的力量，有社會力量。因爲他黨同伐異，信他的還是不少，愈到末法，信的愈多。好人，你吃不開，現在說吃不開，你說黑道不好，哪個國家沒有黑道，哪一黨沒有黑道？

到了這個時候，這叫末法。這是詐稱大乘人，大家要注意「詐」字，他不是真大乘人。由於他自己的勢力，毀謗了障蔽了隱沒三乘正法，不令流布，憎嫉修學三乘法的人。誰宣傳正法，他憎嫉。現在的外道就憎嫉，九十六種外道，對佛就憎嫉到不得了，誹謗毀辱，令他沒有威勢。

「善男子！一切過去未來現在諸佛世尊及諸菩薩摩訶薩，為欲利樂一切有情，以大悲力護持二事。一者為欲紹隆三寶種性常令不絕，捨俗出家，剃除鬚髮，被服袈裟。二者三乘出要四聖諦等相應正法。如是二事，唯佛世尊及大菩薩能善護持，非諸聲聞獨勝覺等，亦非百千那庾多數大梵天王及天帝釋王、四大洲轉輪王等，所能護持。」

這些大菩薩跟諸佛，爲一切衆生得利益，以大悲的力量護持兩件事。「一者爲欲紹隆三寶種性常令不絕，捨俗出家，剃除鬚髮被服袈裟。」這是以大悲力護持的第一件事，使三寶經常的流傳不斷，常令不絕。怎麼才能使三寶種性不斷呢？要出家人來護持，來住持三寶。僧人本身就是，他是剃除鬚髮被服袈裟，這還沒有說他持戒不持戒，持戒更好了，只要能夠被服袈裟捨俗出家剃除鬚髮，他這第一步做到了，就已經不得了。

「二者三乘出要四聖諦等相應正法。」第二點要護持三乘出要，就是出世要道，無論聲聞乘、緣覺乘、菩薩乘，第一個你得建立出離心，必須有一個出離三界苦海的心，沒有這個心，什麼都不成。出離心是三乘共的。四聖諦，苦集滅道四聖諦，聲聞乘講的苦集滅道，就是自己了，證得涅槃就夠了。

菩薩乘就不同了，那麼多人都來了，等他們都了了，我再了。地藏菩薩就是等他們都成佛了，再成佛，要盡責任度衆生。這相應的一切正法，苦集滅道四聖諦法，聲聞乘、緣覺乘、獨覺乘都要具足的。

「如是二事」，唯有諸佛世尊及大菩薩才能善於護持，這不是聲聞、緣覺等所能做得到的，也不是百千那庾多數大梵天王及天帝釋天、四大洲轉輪王等所能護持的，這是佛跟大菩薩才能護持的。

「於未來世此佛土中，有剎帝利旃荼羅王，見依我法而得出家剃除鬚髮被袈裟者，方便伺求所犯過失，以種種緣，呵罵毀辱。或加鞭杖，或閉牢獄，或奪資具，或脫袈裟，廢令還俗，使作種種居家事業，或橫驅役，或濫擯遣，或斷飲食，或害身命。彼剎帝利旃荼羅王，以己愚癡憍慢勢力，毀辱謫罰諸佛菩薩以大悲力共所護持我諸弟子，誹謗毀滅諸佛菩薩以大悲力共所護持我甚深法，於其三世諸佛菩薩共所護持三乘正法，障蔽隱沒不令流布。」

這一段是說末法的時候。有的惡王，旃荼羅就是惡，沒有善信。他見著出家衆，也就是剃除鬚髮的出家衆，依照佛法而出家的人，找他們種種的過錯。伺察就是尋求，尋求所犯的過失。以種種的因緣，呵罵他們，毀辱他們，乃至鞭杖，這是屬於刑罰。

或者繫閉牢獄，這種情形過去也有，明朝、滿清都有。大家看看紫柏老人、憨山大師，都住過監牢。紫柏老人是死在監獄裡頭，在滿清時候，喇嘛、和尚也很多。像最近的八指頭陀的濟禪大師也被關過，在末法的時候，這種現象都有。

這個時候衆生的善根微薄了。他做國王是有福德的，多生累劫的福德成熟了，他做了國王。在末法的時候，他見不得出家人，看到依著佛法而出家的出家人，伺求他們的過錯。像憨山大師跟紫柏老人是牽涉到皇太后，因爲皇帝跟皇太后有矛盾，太后尊敬他們爲師，給他們很多錢修廟，就以這個過錯繫閉牢獄的。

像在監獄裡頭，不准我們這些出家人互相交談，關的房間都不一樣。到了後來能夠勞動，雖然再怎麼嚴格，放風的時候可以交談的，我知道他們得到很多佛菩薩的加持，說出來讓人覺得很不可思議的，這裡頭含攝著諸佛菩薩加持靈感。

四川有間大廟，有位當家師被逮捕之後，就把他判刑勞改到西藏送糧，每個人背六十斤，一天要走六十里，定量定里程。有的時候，會有解放軍保護，有的時候沒有。當地藏民叛亂的時候，軍隊沒有押送，就把這些背糧的人，拿槍打死了，拿刀就斬死了。有一回他看見亂民來了，就把糧食丟到旁邊的小坑，小坑上還有一些爛草，他就鑽到草坑裡。藏民拿著刀子往裡頭插，竟然沒有插到他，那真不可思議。坑也不大，沒插到他。後來解放軍來了，一清查全死了，就剩他一個人。就把他收回來，不讓他去背糧，收到成都去了。後來我們一塊兒住，他才談起來。

那個時候我問他：「你心裡想什麼？」他說：「什麼都不想，就是專心念觀世音菩薩。」那個難是脫了，當時沒有死。以後或者他修行還不夠，牢獄之災還是沒有免，又回來坐。這是一種業，是沒有辦法的。

這種事有時候是共業，叫劫濁。這個時候，大家都犯了共業。迫害我們的，也是一個集團；那麼受害者的，也是一個集團。不管在家、出家都是受害者。過去的，你的共業所感，必須得受。債消了，得到加持，看你的功力如何，看你的付出如何。眞正到了那時候，一切都觀空了，那就無所謂。在現相上看，好像很不好，從實質上看，報受了，也就沒有了，這也是集體的。

所以在末法的時候，那個惡王，他看見穿袈裟的，不大喜歡，以種種緣來呵罵毀辱，乃至於鞭打，繫閉牢獄，把寺廟大衆僧的資生工具都沒收了，那你就活不成了，不能再做和尚了。或者強迫你還俗脫袈裟，非要還了，就做在家的一些事情。或橫驅役，就做賤役。就像我剛才講的，就是驅役。或濫擯遣，濫擯遣就不按佛的制度，不按僧法來擯遣，而是濫擯遣。

或者斷飲食，或者害他生命，這位惡國王以自己的愚癡、憍慢的勢力，毀辱這些出家的弟子，乃至毀謗毀滅。就是對僧毀滅、對法毀滅，如果沒了僧，沒了法，佛像也就被毀。這是毀滅三寶。三世諸佛所護持的大乘正法，因爲他毀滅了，就障蔽隱沒了，法就不能流通了。

像台灣，把觀世音菩薩的像都做成廣告，滿街都是。那個包裝扯的滿地都是，這樣雖然不滅法，但是這種跟大陸差不多，根本不尊敬。那這個業也是大，大家拿佛教的文物作宣傳，雜誌也泛濫。就算是我們這些信佛的道友，看見那個雜誌上的佛像，你有何感想？很多都亂丟，乃至每個印經院，壞了就丟得滿地都是。這是幹什麼？這些印經的功德跟那個福德折算起來差不多，都是毀滅佛法的現象。不是三世諸佛都在護持的，爲什麼還遭到毀滅呢？衆生的業力比佛力大，如果不比佛力大的話，佛就把我們都度了，是我們的業障障住了，通不到，所以不令流布。

「有刹帝利旃荼羅王，乃至筏舍、戍達羅等旃荼羅人，若男若女，愚癡憍慢，自號大乘，彼人尚非聲聞、獨覺二乘法器，況是無上大乘法器，爲求利養恭敬名譽，誑惑世間愚癡雜類，自言我等是大乘人，謗毀如來二乘正法。如是人等愚癡諂曲憍慢嫉妒慳貪因緣，毀我法眼令速隱滅，彼於三世一切諸佛犯大過罪，亦於三世一切菩薩犯大過罪。又於三世一切聲聞犯大過罪，不久便當肢體廢缺，遭遇種種重惡疾病，彼刹帝利旃荼羅王，乃至筏舍、戍達羅等旃荼羅人，若男若女，由造惡業起倒見故，損斷一切所有善根。雖復有時多修施福，於未來世，當生鬼趣傍生趣中，受富樂果，而彼身中，尚不能起色無色界下劣善根，況當能種聲聞、獨覺，及無上乘，無功用起一切智智善根種子。又令其舌爲病所害，於多日夜結舌不言，受諸苦毒，痛切難忍，命終定當生於無間大地獄中。」

這一段說什麼呢？那個惡王乃至於這個惡人、惡民，乃至大臣宰官，不論男的女的，因爲他愚癡沒有智慧，憍傲自滿，自號大乘，學大乘法，要謗聲聞、謗緣覺法，乃至於不聽流傳。

佛說這類人連「聲聞、獨覺二乘法器」都沒有，沒有善根，他怎麼能又進入無上大乘法器呢？只能有謗法之罪。但是他爲了「求利養恭敬名譽」，欺騙「誑惑世間愚癡雜類」。雜類是指衆生說的，指人說的。爲了這個目的，他說自己是學大乘的，不需要二乘法，不需要聲聞緣覺十二因緣法，那就不聽任流通，不流通這一法，漸漸就泯滅了，這就是毀謗如來的二乘正法。

「如是人等愚癡諂曲憍慢嫉妒慳貪」，以這種種因緣，所以毀我法眼，令速隱滅。法就是諸佛的慧眼，也是諸佛的法眼。這些法你能夠了解都不容易，能夠聽聞一個名字都不容易，現在有好多經論的名字，我們聽不到了，沒人說，你就聽不到了。像我們所講的《大集十輪經》，不要說是在家的道友，像我們出家人，好多人聽到這部經的名字都很詫異。沒有聽說過，也沒有對這部經做註解，過去的大德沒有提倡，就沒有人說。因爲那個時候，有很多偏見、執著，認爲這是小乘法。《地藏經》盡講鬼神，地藏菩薩已經在地獄裡頭，都不承認他是大菩薩。這就是末法的時代，什麼現象都有，你聽都未聽說過，又怎麼能學呢？不能學了。

對於二乘法，就只有《阿含經》、〈俱舍論〉。在我出家的時候學習的很少，後來因爲跟泰國、斯里蘭卡溝通，我們也派留學生到這個國家。或者從日本傳進來的，他們對於《阿含經》，對於南傳佛教才重視，才不謗毀。以前南傳佛教是進不了大陸的。大陸只有禪宗，所以禪宗最盛的時候，很多法都隱蔽了。爲什麼呢？三武滅佛的時候，不准學，不准修，沒辦法，不准許你出家。那些大德們就隱居到山裡頭去了，只能參禪，沒有經書可讀。所以禪宗獨盛，就在那個時候，好多經就漸漸隱滅了。

因此，國王的關係很重要。如果國王是三寶弟子，大力提倡佛教，人民也就容易種福田。

他因為名聞利養的關係，誑惑世間的欺騙，所以說毀滅二乘法，毀滅二乘法。這個二乘法，也是三世諸佛所護持的。他不聽學習，這個罪過就犯的很重。

會得到什麼果報呢？肢體廢缺，遭遇了種種重大疾病。惡性的這些人，或者是男或者是女，由於造這個惡見，造這個惡業，起了顛倒見。顛倒見就是把正法當成非法，把非法當成正法。而顛倒見把一切的善根，先減少，直到全部斷絕了，一切所有的善根，過去種的善根，培的福報，這一生就毀滅了。在這種善根修福的時候，是很艱難的。

積累的福德也很容易喪失，他不堅固，佛稱這些眾生是毛道凡夫，就像毛似的在空中，還不說大風巨風，就是一點點微風都把你吹動了，因爲你定不了。有的雖然是惡性，他一點善根發了，他有修布施的福，那福德，他要享受的。但是他生到鬼趣，生到傍生趣了。說是牛馬，或者變成大象，生到傍生趣，他也受「福樂果」。

在印度，「香象掛纓絡」，就是在我們這個國土上也可以看得到。像蒙古有幾個王，他們自己坐騎的馬，比農奴享受的好得多，一匹馬都有兩個奴隸來照顧這匹馬，叫馬伕。我們那時候在東北沒有汽車、沒有飛機的時候，土匪跟軍隊也都是騎馬，師長以上那些高級將領，他們那幾匹馬，餵的非常好，也是馬伕侍奉的，這叫傍生的享受的福報。印度的象很苦，負重很多，但是有些象有牠的福報，特別是「香象掛纓絡」，就是那個涵義。

雖然有這個福報，他還是落到鬼趣，大力鬼王就是這樣。像這類的衆生，在現生中，生天的善根，他是沒有的。這個色界無色界，就是生天，無色界天，沒有這個福德。連下劣的福德都沒有，他怎麼能夠種「聲聞獨覺及無上乘」的這種善根呢？乃至於「一切智智善根種子」，這些人沒有佛法的善根，沒有聲聞、獨覺的善根。無上乘的、無功用的、一切智智的這種善根種子，更沒有了。同時由於現生的謗法，令他的舌根爲病所害，謗法都是口裡毀謗。遭報的時候就「爲病所害，多日夜結舌不言」，說不出來話。「受諸苦毒，痛切難忍，命終定當生於無間大地獄中」，死後就墮落地獄。

「是故如來慈悲憐愍一切眞善刹帝利王，乃至眞善戌達羅等，若男若女，令得長夜利益安樂，慇懃懇切，作如是言：汝等應當於歸我法剃除鬚髮被片袈裟出家人所，愼勿惱亂譏呵謫罰，於我所說三乘正教，愼勿謗毀障蔽隱沒，若違我言而故作者，所獲罪報如前廣說。」

下賤種姓也有發心的，但是惡性的不發心。也有好的眞善的戍達羅，他雖然今生墮到下賤的種族，當中也有屠宰行業的，他一切覺悟了，放下屠刀不做這個職業了。我們那天講十個淫舍等於一個酒舍，賣酒的開酒店的，他改行了不做酒店，他就醒悟了。但是這一種很不容易，一陷下去了還能覺悟的，很不容易。必須得宿世的善因緣成熟了，對於這些，不論男女，讓他們永遠享受利益安樂。

所以佛慇懃懇切的跟他們說：「汝等應當於歸我法剃除鬚髮被片袈裟出家人所，愼勿惱亂譏呵謫罰」，千萬不要惱害這些人，對於我所說三乘正法，「愼勿謗毀障蔽隱沒」。假使違背我的這些話，「而故作者」，故意的作，「所獲罪報如前廣說」。所獲的罪報，不但未來下地獄，現生或舌不能言，乃至斷肢節種種的病苦。

「所以者何？此歸我法剃除鬚髮被赤袈裟出家形相，乃是過去未來

現在諸佛菩薩大悲神力之所護持，此剃鬚髮被赤袈裟出家威儀，是諸賢聖解脫幢相，亦是一切聲聞乘人受用解脫法味幢相，亦是一切獨覺乘人受用解脫法味幢相，亦是一切大乘之人受用解脫法味幢相，如來所說三乘正法，亦是三世諸佛菩薩大悲神力之所護持，是諸賢聖解脫依止，亦是一切聲聞乘人受用解脫法味依止，亦是一切獨覺乘人受用解脫法味依止，亦是一切大乘之人受用解脫法味依止。」

為什麼我要這樣說呢？「此歸我法剃除鬚髮被赤袈裟出家形相」。這種形相就現了出家的僧相，剃除鬚髮被袈裟出家的這些人，他的威儀、他的行動，乃至被片袈裟，這就是「解脫幢相」，法幢相，就是豎立正法的意思。你見著這些人，就想起佛，想起法。佛說的法就是教我們解脫的，不是束縛的。現在我們的身心有各種的束縛，尤其是我們的身束縛特別嚴重，解脫不了。貪瞋癡慢疑，身邊戒禁邪，乃至殺盜淫妄，這都是我們身體的束縛，不能得到解脫。

如果是「大乘之人受用解脫法味幢相」，布施持戒忍辱禪定智慧，這些都是大乘的幢相。如果依著這個，你能夠解脫，能夠成爲菩薩。若依著苦集滅道修行，就能夠成爲聲聞。

觀一切諸法的生起，觀一切諸法的還滅，觀一切世界的善惡因果報應的因果循環法，那就屬於獨覺乘法。每一乘法都能夠使你得到解脫，如果眞正的受持，你會有一種解脫的殊勝感。就像飲食，你自己嗜好什麼味道，吃起來感覺愉快。如果你不嗜好那味道，你吃起感覺不愉快，有些不吃辣椒的，要是給他一碗辣椒菜讓他吃，那他苦死了，他不適合。他是小乘的法器，你卻給他說大乘的法，就很不適合。

現在這個國土裡頭都是說大乘法，說小乘法沒有人聽。你跟他學客觀現實的一切生活現象，他聽不進去。乃至在戒律說，在別別解脫戒說，他感覺太束縛了，不適合的。爲什麼大乘法他又信得進去呢？他不是眞信，而是大乘法的方便。

但是這有兩種情況，第一種情況，從我小時候就知道密宗。像班禪大師在大陸上，還有貢噶活佛，安欽活佛，呼諾活佛、諾那活佛，紅教白教都在大陸，可是一直弘揚不開。最大的障礙是什麼呢？因爲他們吃肉。佛教弟子，信佛的人，一看喇嘛吃肉，肉喇嘛、菜和尚。「我們還是信菜和尚好，起碼我們能積點福報。」「他吃肉，我也會吃，我信他幹什麼？」

就是這樣，因爲某種障礙，障礙他了。他不曉得那個吃肉是怎麼吃的？西藏的生活很苦，苦的原因就是沒有糧食，青稞並不是每個地方都能種。姜塘、阿里靠著新疆那邊，那裡不產糧食，他不吃牛羊肉，吃什麼？他穿的是牛羊，住的還是牛羊。牛羊怎麼住呀？他用那牛毛羊毛搓成繩子作成帳蓬，他是遊牧生活，得要靠那個帳蓬，這就是他的住處。

西藏人跟藏族的人民，特別信觀音菩薩，佛法他不明白，你念「唵嘛呢叭咪吽」，人人都念，一天都在念。要是沒事，他手裡搖，那一搖就是多少萬，或者印上或者寫上，捲成一卷，寫一遍就等於念一遍，是這樣的意思。

我們佛弟子都應當知道，佛所說的一切法，是對機說的，是什麼根機給他說什麼法。不對機，那就叫錯誤。如何能對機呢？從他的本身，從他的語言障礙，文字的障礙，再加上法的障礙，他不知道對這個人應該說什麼法，因此他就只能講這部經。你聽你得到受用，這法跟你相應。沒受用，你可以不聽。爲什麼會有這樣情況呢？因爲大家的福報都薄了。佛在世時沒有遇到，乃至於佛涅槃了之後，還有一些大阿羅漢住世，我們也沒有見過。

到了末法時候，什麼都沒有了。不過還感個末法，還有佛像、經書，還有被袈裟的出家人，要是再經過兩千年，不用一萬年，恐怕再過兩千年，這個也沒了，漸漸就斷絕了。現在印刷術很發達，我們印那麼多經，怎麼會沒有了？到時候它會隱沒了，是業障感的，打開經本沒得字，都變成無字天書了。為什麼沒有字？或者是氣候的關係，或者潮濕，或者腐爛，那個字都沒有了。或者油墨沾到一塊兒去了，這就是福報的關係。

「善男子！以是義故，求解脫者，應當親近恭敬供養諸歸我法剃除鬚髮被赤袈裟出家之人，應先信敬聲聞乘法，若自聽受，教他聽受；若自讀誦，教他讀誦；若自書寫，教他書寫；若自施與，教他施與；若自宣說，教他宣說，思惟修行，廣令流布。如是信敬獨覺乘法，若自聽受，教他聽受；若自讀誦，教他讀誦；若自書寫，教他書寫；若自施與，教他施與；若自宣說，教他宣說，思惟修行，廣令流布。如是信敬於大乘法，若自聽受，教他聽受；若自讀誦，教他讀誦；若自書寫，教他書寫；若自施與，教他施與；若自宣說，教他宣說，思惟修行，廣令流布。若非器者，不應自聽，勿教他聽，乃至廣說。」

對於剃除鬚髮被袈裟的出家人，應該信敬他們，同時也應該信敬聲聞乘法。苦集滅道，對我們日常生活確實有利益，你多觀想一些，我們所受的那樣是不是苦，苦怎麼來的？是你自己召感來的，是你集來的，集是集聚的意思。你自己召感、自己集來，就自己受。這個世間的因果，就是苦集二諦，就是世間因果，那麼你所作的業所召感的，這裡有快樂，但是痛苦居多。

想想我們現實的生活，財富是有了，你不能免除病痛，並不能讓你的思想很愉快。有財富的人很多，你跟他談起來並不愉快，他的心裡沒有解脫，這個叫財的奴才，而不是財的主人。中國古話說守財奴，他是守護那個錢，自己都不用，他還對他父母、妻子都不捨，守財奴就是這樣。他還能施捨給外人嗎？不可能的。

聞法也是不可思議的。你要想離苦，離苦得樂，要出離得修道，修道就能證得。證得什麼？證得寂滅，這就離苦了。證得道滅二諦，出世間的因果。這種法對我們現世是很好的。六度萬行，乃至般若波羅蜜，好像是種善根還可以，受用就做不到，爲什麼呢？如果是有福德、有智慧的人，他是受用得到，沒有智慧的人受用不到。二乘法裡有很多禪定功夫，如果你坐禪，你的身心會非常安定。大乘的禪定，你不容易入，大乘的禪定爲什麼不能入呢？就在日常生活當中，隨便你做什麼事情，都要用禪定的功夫。

禪定功夫，在《占察善惡業報經》裡面講的，就是念念不離三寶，這就是定。能夠念念不離，就是定；離了就定不住了，就出定了。出定了就去做別的事情了，就去做世間的事情。世間的事情也有善有惡有無記，你做事不傷害別人，那就是不善不惡。做善事情，別人得利益了，就叫善。你做惡事情，別人受害了，這就是惡。一般是以這個來判斷的。

大乘的定是「那伽常在定」，那伽定是不容易的，不是無量劫來所種的善根，不容易得定。

大乘法要我們拜懺，不論拜哪一個懺本，都是大乘的。不論哪個經論，一說拜懺的時候，要你觀想迴向法界眾生，這就是屬於大乘法。凡是能參加拜懺的，〈大悲懺〉也好，〈藥師懺〉、〈占察懺〉，隨便拜哪個懺，如果沒經過無量佛所種過的善根，你遇不到。你拜的時候，也不會猛利參加，拜拜就斷了，三天打魚兩天曬網，就是那樣的涵義，拜拜就斷了。但是拜一次得到一次的功德，長拜就解脫了，障礙就沒有了，但這是很困難的事情。還不用說是未來的如何，就是在現在，當你做的時候，會給你生出好多障礙。你想要拜，家裡人不見得會去支持，你要照顧孩子。定了拜懺的時間，你要做飯，要送孩子上學。「不行，我要拜懺！」這個是做不到的，懺也拜不成了，家裡會給你出障礙。必須順著世法，而且還能修出世法，使這一切因緣都成熟，這個善根還是不容易的。

我說這個大家可能不相信，你看看我們和尚跟比丘尼師父，是不是勇猛精進的修行呢？以我來說，我就沒有這樣做，我做不到。應不應該自己修呢？應該修，爲什麼不做呢？業障。總有很多的緣，牽著你不能去做。你要做那個，又失掉這個。

若你能夠拜懺，那是經過無量劫前種的福德。現在這個地球上六十多億人，能做這些事的究竟有好多？善種是弱的，惡種是盛的。到了末法時候，惡盛善弱，強權的力量就是大，你修善的人力量就是小。不是有那麼多護法神嗎？護法神都頂不住惡力。我們說鬼怕惡人，屠夫那把屠刀，鬼都怕，連鬼神都不敢近他的。懂得這個道理，你就知道了。

「又應遠離一切惡法，應捨惡友，應親善友，應勤修習六到彼岸，應數懺悔一切惡業，應隨所宜勤發正願。若能如是，斯有是處，現身得成聲聞乘器，或獨覺乘種子不退，或復大乘種子不退。是故三乘皆應修學，不應憍傲，妄號大乘，謗毀聲聞獨覺乘法，我先唯爲大乘法器堅修行者。說如是言，唯修大乘能得究竟，是故今昔說不相違。」

這些人要遠離這些惡法，就應該捨棄惡友，親近善友。那些不聽的，專門做障礙的，你千萬不要跟他打堆。打堆，你就受到他的污染了，他把你拉去，你也聽不成了，就是這樣的涵義。有些家庭之中，有太太信的，先生不信，先生信的，太太不信，總是扯緊拉著。要是溝通好了，不拉扯你，那就很了不得。一般的都是拉扯你，給你做障礙。

布施、持戒、忍辱、精進、禪定、智慧這六個，你隨得一個都可以，但是要堅持修行，六個齊修那就更不得了。但是現在我們犯了六波羅蜜的一個毛病。什麼毛病呢？不精進，懈怠，那一個也修不成。我們沒有信心，為什麼呢？那個有信心的精進的，他一聽到這個法，堅決去做，而且能夠排除一切障礙，寧捨身命都去做，這才算有堅定信心，不然不算有信心。遇到一點挫折，他就不幹了，沒有信心。那信心還是毛道的，風一吹就倒了，有信心的，他排除一切障礙。

每個人出家的時候都經過許多困難，過去現在都如是；鬚髮不是那麼容易落的，說出家就出家，會有好多障礙。出了家之後，還是有很多障緣，使你還俗。業障發現就是這樣，你想不還也不成，會讓你自己也願意還俗。出了家，已經學了那麼多法了，為什麼還要還俗呢？那是業障發現。業障發現，就退道了。這些人不應當親近，所以修習六波羅蜜，勤修六波羅蜜，就能到彼岸，就能超脫了生死。

我們總想有神通，有神通想方便，找一個竅門有神通，聽說傳個咒可以一念就有神通，又聽說那裡又有什麼方法可以使你發財，使你身體能健康，你就去了，結果是上當，不可能的。你自己求，自己求也可以，求得神通，西藏的求神通法很容易，但是有了神通就會墮落，會失掉的。印度六通仙人，那是外道，不是佛道；他們以前應供的時候，是飛出去從空中降下來。有一次國王供養他們，邀這些仙人，這國王一作意把供品都供上；一祈求，各處的仙人，就飛來了。國王想試試他們的道力，讓宮女來頂禮他們，宮女一接觸，有的外道很堅定的，修行好的，他沒問題，心裡不動念，他就飛走了。有些外道，那個宮女一禮他的足，宮女的手很柔軟，跟他的足一接觸，他動了念，一動念他飛不走了，神通馬上失掉了。

阿難尊者，大家都知道，有一天他乞食，到了婬舍，摩登伽女就看上他了。因爲他倆人過去五百世的因緣，非要嫁給他不可，要求她媽用邪咒，她媽媽說：「不可以，這是大師的弟子，而且阿難很有名的，我這咒術不行，得用梵天那一種咒。」她女兒一直求，不然要自殺。她媽媽迫得無奈，就用咒把阿難迷了，迷了佛就知道了。佛派文殊師利菩薩去，持著楞嚴咒，也就是楞伽神咒，這個咒你念一個「悉怛多般怛囉」都可以，不用說那個咒全背了，全背，你背不下來，只念那咒心「悉怛多般怛囉」，如果持靈了，這個神咒就破了那邪咒。

這是因爲他過去的因緣成熟了，有這麼一個表現。摩登伽女跟著來了到佛前：「我沒有他，我就死，佛你得度我。」佛就給他說法，觀身不淨，觀受是苦，觀心無常。這一說，她心開意解，馬上證得阿羅漢。

從婬女都可以證得阿羅漢，更不用說《法華經》的龍女即身成佛。那是她過去積累的善根，只看現實的情況，這是不可以的，現實情況你是看不到的。如果你想修神通，你要念一個咒，閉上一百天的關，只求神通，這是有方法的，但是這個方法我不願意學。

眞正的神通是什麼呢？什麼是神？神是自然的心，也就是你現前的一念心。通是你智慧開了，通是慧性，神明天心，通明慧性，就是你自己的心開了智慧，業障消失就通了，這個通是眞通。

若修六波羅蜜，那應當怎樣修？應當懺悔。懺悔是拜懺，不是一回兩回，要數數的懺。惡業懺悔淨了，善業就生長了，應隨所宜勤發正願。發正願求成佛，求利益衆生。念〈淨行品〉、〈梵行品〉、〈普賢行願品〉，那就是學習發願的。

正願，好多的願都離不開普賢菩薩的十大願，許多發願文都是從那裡摘下來的。要能這樣的發願，才能夠有入處，才能夠成就。現身就能成就聲聞乘的法器，成就一個獨覺乘的法器，成就獨覺乘種子不退，或大乘種子不退。獨覺乘比較深一點，大乘更深一點。我們只是種善根，種個種子，能夠使我們不退失。三乘果位現生能證到，那你得好好修，好好學，今生證不到，未來生能證到。

發願生極樂世界的，你不要退心。當生、來生、再來生一定能生。因為有六方佛護持你讓你生。《大方廣佛華嚴經》最後的八十一卷〈普賢行願品〉，那是導歸極樂，大家誦〈普賢行願品〉去的就是上品上生，誰誦〈普賢行願品〉就生極樂世界，上品上生。

《占察善惡業報經》講到下卷的時候，說「一實境界、二種觀道」，修不成入不進去，怎麼辦？這樣子好了，你實在沒辦法就念我的名號，你每天念一萬聲，我讓你成就，這個能做得到的，這才是善巧方便。不要找邪門外道，邪門外道是進不去，不但進不去，還會著魔！一著魔就苦了，墮落魔道去了。

三乘這樣修行，「不應憍傲妄號大乘，謗毀聲聞獨覺乘法。我先唯爲大乘法器堅修行者」，這是佛自稱，他說，我以前爲什麼只提倡大乘的法器呢？因爲對了這類根機，我才如是說。我現在又說不相違，乃至三乘法并說，這個並不違背，而是對機！

「爾時世尊重顯此義而說頌曰：

對諸大眾前　金剛藏問我　云何勤供養　破戒惡苾芻

失杜多功德　癡惡見所持　非法器汙道　而不聽讁罰
復說從彼聞　三乘微妙法　眞解脫良藥　趣寂靜涅槃
何故餘經言　一大乘解脫　遮學二乘法　今復說三乘
哀愍諸有情　令捨邪惡業　得利益安樂　願爲說除疑
爲益刹帝利　乃至戍達羅　不聽惱苾芻　恐彼染大罪
剃髮被袈裟　諸佛法幢相　諸佛等護持　解脫道之服」

佛又把這個意思重新說一下。在大眾前金剛藏菩薩問佛，金剛藏菩薩怎麼問佛的呢？「云何勤供養，破戒惡苾芻」，問佛說你怎麼勸人們供養破戒的比丘？「失杜多功德」，把這個塵垢及煩惱除掉叫「杜多」，「杜多」是一種苦行，修道者的一種苦行。

「癡惡見所持」，已經不是法器，使這個道，所修的道，乃至於佛所教導的道，污染了，不清淨了。「而不聽讁罰」，我爲什麼叫你不要去謫他的過？還要供養他？前面已經解釋了。

在這汙道沙門裡，也有能說法的，那麼你跟他也能聽著三乘的微妙法，聽到了就能解脫了。那是解脫的良藥，那是趣向寂靜涅槃的好道路，也就是菩提道。所以對汙道的沙門，不要揀擇而要供養，原因就在此。別的經就不是這樣說！

「何故餘經言，一大乘解脫，遮學二乘法，今復說三乘，哀愍諸有情，令捨邪惡業」。有的地方是說一乘大乘的解脫，你們遮止的時候，對這一類根器不要墮落到二乘。過去經上是這麼說的，現在我又說三乘，聲聞緣覺菩薩乘都在說。哀愍諸有情，就是令這一切諸衆生捨諸邪惡業，「得利益安樂」，所以願意爲他說，去除他的疑惑。

「爲益剎帝利，乃至戍達羅，不聽惱苾芻，恐彼染大罪」，我不讓他們說比丘過，是怕他們犯大罪。「剃髮被袈裟，諸佛法幢相」，只要他剃了鬚髮，現比丘相，這是諸佛的法幢。「諸佛等護持，解脫道之服」，我是護那個人，是護持解脫道的那個幢相，護那個赤袈裟。

「雖破諸律儀　非永遮解脫　能捨諸惡見　當速趣涅槃
如腐敗良藥　猶能療眾病　如是破律儀　亦能滅他苦
不聽彼苾芻　在布薩羯磨　許為他說法　俱獲福無疑
若歸敬三寶　稱我為大師　能棄捨眾惡　勝諸外道眾
如墮羅刹渚　商眾悉驚惶　各執獸一毛　渡海得免難
如是破戒者　離諸惡邪見　由一信為因　脫煩惱羅刹
如是解脫相　諸佛等護持　不惱破戒僧　能離諸重惡
諸樂多福人　欣求真解脫　等護器非器　證解脫無難
癡慢號大乘　彼無有智力　尚迷二乘法　況能解大乘
譬如闕壞眼　不能見眾色　如是闕壞信　不能解大乘
無力飲池河　詎能吞大海　不習二乘法　何能學大乘

先信二乘法　方能信大乘　無信誦大乘　空言無所益」

「雖破諸律儀，非永遮解脫」，你不要看他現在破戒，沒有修道，是惡道、汙道，他不是永遠不解脫，他一定可以解脫。什麼時候他把惡見捨了，當速趣菩提，一定很快就證得菩提果。就像腐朽的良藥，雖然是腐敗了，還能療諸病。比丘要到垃圾堆裡撿藥吃，吃腐藥，這是佛制的。比丘有病了，撿那個腐藥吃，檢那腐菜吃。吃腐藥，假佛的加持力病就好了。

「如是破律儀，亦能滅他苦」，你別看他是污道沙門，他還能滅別人的苦，別人在他分中能種福田。「不聽彼苾芻，在布薩羯磨，許為他說法，俱獲福無疑」，雖然是不聽比丘誦戒，不應當受大眾僧的供養，但是許可他給眾生說法，為什麼？他自己說的時候，他得福德消除業障，聽的人也得福德，這是決定無疑的。

「若歸敬三寶，稱我爲大師，能棄捨衆惡，勝諸外道衆」，只要是歸依過我，他稱我爲大師的，就把諸惡都棄捨了，那比外道強的多的。

「如墮羅刹渚，商衆悉驚惶」，那採寶的商人，走到羅刹的區域，嚇死了。如果「各執獸一毛，渡海得免難」，那個獸毛是很大的，只要執片獸毛他也能夠從海中浮出來。「如是破戒者，離諸惡邪見，由一信爲因，脫煩惱羅刹」，一信就是他還有一個信心，信佛；有這麼信心，也能夠得解脫。

「如是解脫相，諸佛等護持」。他是披袈裟的，現這麼一個解脫相，一切諸佛都護持這個解脫相。「不惱破戒僧，能離諸重惡」，你不要惱害破戒的比丘，也能脫離苦海。

「諸樂多福人，欣求眞解脫，等護器非器」，平等護持，不論是法器或者是非法器，你要求眞正解脫，平等對待，破戒的跟不破戒的比丘，平等對待，只有此經這樣說，其他經很少這樣說。要是學戒經，那簡直是完全不同。

《大集十輪經》是地藏菩薩特別的慈悲經。「譬如闕壞眼」，眼根壞了，「不能見衆色」了，眼睛什麼顏色也看不見了，「如是闕壞信，不能解大乘」，信心沒有了，怎麼還能信大乘呢？「無力飲池河，詎能呑大海」，連河水也呑不進，你怎麼還能把大海水呑乾淨呢？這是不可能的。若「不習二乘法，何能學大乘」，你不學二乘法，就學大乘法，怎麼能學得到呢？要「先信二乘法，方能信大乘」，這是有次第的。「無信誦大乘，空言無所益」，信心都沒有，你誦大乘經典有什麼用？

「內眞懷斷見　妄自號大乘　不護三業罪　壞亂我正法
彼人命終後　定墮無間獄　故應觀機說　勿爲非器者
憍傲無慈悲　暴惡志下劣　智者應當知　是懷斷見者
非聲聞緣覺　亦非大乘器　諂毀謗諸佛　必墮無間獄

持戒樂喧鬧　慳法畏苦惡　智者應當了　是名聲聞乘
樂施觀生滅　常欣獨靜處　智者應當了　是名獨覺乘
具足諸善根　守護慈悲本　常樂攝利物　是名爲大乘
捨身命護戒　不惱害眾生　精進求空法　應知是大乘
心堪忍諸法　善言無祕悋　於法常欣樂　應知是大乘
法器非法器　利樂心平等　不染諸世法　應知是大乘
是故有智者　普敬說三乘　不惱我僧徒　速成無上覺」

「內眞懷斷見」，內心懷著是斷見的心理，就是學空沒學好，反而學成斷滅見了，般若空不是這個虛空的空，不是斷見的空。「妄自號大乘」，那個學大乘法人，認爲一切諸法，如夢幻泡影如露如電，面對吃肉喝酒娶妻安家，自認沒有問題，我是大乘，無罣無礙。吃肉喝酒做什麼呢？這本身就是罣礙了，這是譬喻說。那裡頭他懷的是斷見思想，完了還說自己是大乘。「不護三業罪，壞亂我正法」，他對於身口意三業十惡業一點也不保護，做十惡業，把正法也給壞了。這個人命終後一定墮到無間獄。

「故應觀機說，勿為非器者」，大乘法，你得看看他是不是法器，要觀機。我們在說法的時候，不能觀機，我不知道他是前生幾百年多少大劫前作什麼善根，不能觀機。怎麼辦呢？要先懺悔。先觀想釋迦牟尼佛，這是佛在說，不是我在說，每回懺罪的時候一定加上一條，我說法是得到佛的加持，是佛來說，不是我說，一定要觀想。完了要懺罪，懺什麼罪呢？說錯了，人家沒有得到利益，聞了法還不能解脫，那就是有罪。說者有罪，聞者沒有關係。

「憍傲無慈悲，暴惡志下劣」，很憍傲的，沒有慈悲心。說法需具足慈悲心，我說法的目的是讓人得到解脫，要人聞法開悟，起碼種個善根，一定得具足。你要是憍傲又沒有慈悲心，這是看不起眾生，下劣的一個志向。所以有智慧的人應當知道，是懷斷見者，什麼樣才是懷斷見的呢？

「憍傲無慈悲，暴惡志下劣，智者應當知，是懷斷見者，非聲聞緣覺，亦非大乘器，諂毀謗諸佛，必墮無間獄。」你不是聲聞緣覺，也不是大乘，三乘都不是，只是諂媚那個惡的國王，諂媚這些大臣，你毀謗佛法，必墮無間獄。有些宰官，自己心裡不是毀謗大乘，因爲那個惡法，惡國王惡勢力迫使他，不得不這樣做。他爲要利益，求現世安樂，毀謗、檢舉別人，他想得利益，爲利養故，那罪就重了。

「持戒樂喧鬧，慳法畏苦惡，智者應當了，是名聲聞乘」，他想持戒，必須到清淨處，得住寂靜處，不敢在都市住。要是喧鬧，他就怕戒持不成，張開眼睛也犯戒，耳朵聽見也是邪惡的音樂，看電視都犯戒，處處都犯戒，怎麼辦呢？住到無人煙的地方，遠離憒鬧。「慳法畏苦惡」，他不肯說法，怕什麼呢？怕受他們感染，怕說法受苦。「智者應當了」，有智慧人知道，聲聞乘就是這樣子。

「樂施觀生滅，常欣獨靜處，智者應當了，是名獨覺乘」，獨覺乘也喜歡布施，觀生滅法，一切諸法無常，觀生滅就觀因緣。但是他也喜歡獨自做，爲什麼叫獨覺？獨自靜坐，這就叫獨覺乘。「具足諸善根，守護慈悲本」，這個大慈大悲心，守護慈悲，「常樂攝利物，是名爲大乘」，常時喜歡，攝入眾生，用四攝法利益眾生。「捨身命護戒，不惱害眾生」，寧可捨身命護持佛禁戒。「精進求空法，應知是大乘」。求般若智慧，一切有爲法，都不能空，得修無爲法，絕不惱害眾生。

「心堪忍諸法，善言無祕吝，於法常欣樂，應知是大乘」，心堪忍，忍就是承認的意思，一切諸法皆善。菩薩連世間法都不捨，沒有世間法，也沒有佛法。爲什麼我說法常用世間法來比喻呢？出世間法，眾生進不去，就給他說世間法，眾生懂得世間法，拿那個來顯出世間法，那麼他就能入進去了。

不要吝惜。法沒有秘密，說佛法是秘密，那就錯誤的。佛法沒有秘密，沒有一法不跟衆生說的，都可以。但是不對機，對這個衆生說是密，對那個衆生就是顯，密就是顯，顯就是密，要懂得這個道理。於一切佛所說的教法，常時生起信樂心，歡樂心，這就是大乘。

「法器非法器，利樂心平等」，不因爲這是法器，或不是法器，聰明有智慧的大弟子，就非常高興，對愚癡的，糊裡糊塗的，就對那弟子生厭離心，乃至看不起他，這不是菩薩。法器也好，對他也平等利樂，非法器也好，對他平等利樂，利樂衆生心是平等的。

「不染諸世法」，對世間法雖然不染著，說菩薩做一切功德無功德，爲什麼無功德？他不染著功德相，這就是大乘。

「是故有智者，普敬說三乘，不惱我僧徒，速成無上覺」，不要惱害我的弟子，不要惱害破戒的僧人。

「復次善男子！若有眞善刹帝利，眞善婆羅門，眞善宰官，眞善居士，眞善長者，眞善沙門，眞善筏舍，眞善戍達羅，若男若女，成就十種有依行輪。於現身中，速能種植聲聞乘種令不退失，或於現身成聲聞乘諸聖法器，非獨覺乘大乘聖器。何等爲十？一者具足淨信，信有一切善惡業果。二者具足慚愧，遠離一切惡友惡見。三者安住律儀，遠離殺生，乃至飲酒。四者安住慈心，遠離一切瞋恚忿惱。五者安住悲心，救拔一切羸弱有情。六者安住喜心，遠離一切語四惡業。七者安住捨心，遠離一切慳貪嫉妒。八者具正歸依，遠離一切妄執吉凶，終不歸依邪神外道。九者具足精進，堅固勇猛修諸善法。十者常樂寂靜，思求法義，歡悅無倦。」

無依行輪有十個，有依行輪也有十個。於現生中速能種植聲聞乘的種性，令他不退失，或於現身中成就聲聞乘諸聖法器。諸聖就是初果、二果、三果、四果，可是不是獨覺大乘的聖器，也不是獨覺乘的法器。

何等爲十？

「一者具足淨信」，就是信善惡因果。

「二者具足慚愧」，常感覺自己不足，修行也不夠，聞法也不夠，智慧也沒有，對於惡友、惡見，你一定要遠離。

「三者安住律儀」，安住律儀，就是遠離殺生，乃至飲酒，起碼安住於三歸五戒。

「四者安住慈心」，要有大悲心，慈要拔除一切衆生痛苦，看他苦即是我苦，也就是有一種代替的心，代替他受苦。普賢菩薩十大願在迴向裡頭，願爲衆生受一切苦難，讓他得解脫。這是菩薩的大悲心，那是遠離一切的瞋恚忿惱。小乘只要自己不瞋恚、不忿惱、不惱害衆生，這個慈心就可以了。但是現在這個十善輪，有依所，這叫有依輪。有依輪，依著這十輪，三乘都共的，看你用什麼心，大乘心就信仰大乘，他那個慈悲就寬廣，二乘的慈悲就不寬廣。

「五者安住悲心」，救拔羸弱的有情。

「六者安住喜心」，遠離一切語四惡業。說話的時候，不要打妄語，不要詐騙人家，不要惡口傷人。古人說：「良言一句深冬暖」，這個時候聽到好話，心裡都很愉快，很安慰，就是溫暖的。「惡語傷人六月寒」，六月天氣那麼熱，你一句話傷了人，就像給人當頭用一桶冰水澆下去，涼得很，要傷人的，就是那個意思。這是專指說語業的十惡業，不要綺言，對人家沒有利益的話不要說，就像是邪語，演那個相聲的，說那些話，很多是造業的。

「七者安住捨心」，經常有個捨離心，這個捨離心，捨離世間，如果大乘的捨離二乘，遠離一切慳貪嫉妒，這個都是指二乘說的。

「八者具正歸依」，歸依佛、歸依法、歸依僧，是正歸依。遠離一切妄執吉凶，邪歸依，終不歸依邪神外道。

「九者具足精進，堅固勇猛，修諸善法」，十善業，我們就說一個，不惡語。你永遠不說惡語，就說讚揚話，堅持一行都可以，不但一生，無量生堅持一行。

「十者常樂寂靜，思求法義」，這個常樂寂靜是心寂靜，不是求環境寂靜，環境永遠寂靜不了。以為住山裡就寂靜了？山裡也不寂靜，一個修道者住在山林之中，住在茅蓬裡頭，他正在入定的時候，心裡很靜的。小鳥在外頭叫，吱吱喳喳吱吱喳喳，他生起了惡念，我將來要變成禿鷹專吃這個小鳥，他的功德就全轉向了。一念瞋心起，惡念起了，百萬障門開，他就墮落了，就變禿鷹子，專吃小鳥去了。住山林就不會造罪了嗎？意念是非常的重要。

「善男子！若有眞善剎帝利王，乃至眞善戍達羅等，若男若女，成

此十種有依行輪，於現身中，速能種植聲聞乘種，令不退失。」

這個聲聞乘種性是不會退失的，也可能現生證得聲聞乘所有的聖法。這十種有依輪是指著聲聞乘說的。剛才有幾句完全是針對聲聞乘的諸聖法器，非獨覺乘，非證大乘法，證不到的，也非成獨覺大乘的聖器。

「或於現身證聲聞乘所有聖法，成聲聞乘諸聖法器，非證獨覺大乘聖法，非成獨覺大乘聖器，應知此中獨覺大乘皆如是說。善男子！如是十種有依行輪，一切聲聞獨覺菩薩，諸佛如來皆同共有。」

這段經文的意義，並不是對聲聞乘的。

「善男子！復有十種有依行輪，不共聲聞，唯與獨覺菩薩如來皆同共有。若有眞善刹帝利王，乃至眞善戍達羅等，若男若女，成此十種有依行輪，於現身中，速能種植獨覺乘種令不退失。或於現身證獨覺乘所有聖法，成獨覺乘諸聖法器。何等爲十？一者修行清淨身語意業。二者具足慚愧，厭患自身。三者於五取蘊深生怖畏。四者見生死河極爲難渡。五者常樂寂靜，離諸憒鬧。六者樂阿練若不識他失。七者守護諸根，心常寂定。八者善觀緣起審察因果。九者常樂勤修等持靜慮。十者於集起法能善除滅。」

上面所說的是聲聞乘的十種有依行，下面所說的是獨覺乘的。這個有依行輪，是專給獨覺乘菩薩說的，偏重於緣覺跟菩薩，跟羅漢有所區別。前面那十個輪，大乘的菩薩、獨覺乘都具足的。還有，十種有依行輪，與獨覺乘菩薩如來共有的，若有國王是善順的，也就是求解脫法的，乃至於四種種姓最後的種姓，或者是男，或者是女。若能夠與這十種輪成就，在他現身的生活當中，就能夠種植獨覺乘的種性，使他不退失了。也就是依著緣覺而入法悟道的，這是中乘的。

聲聞乘是小乘的，菩薩是大乘的。或者他現生能證得，或者現生證不到，將來也會證得到。種了種子，就成了獨覺乘的聖人法器，也就是盛法的器皿。

「何等為十」，哪十種輪呢？「一者修行清淨身語意業」，身業就是沒有殺盜淫的這個行為；語業沒有妄言、綺語、兩舌、惡口的行為；意念不起貪瞋癡，這就叫清淨身語意。

「二者具足慚愧，厭患自身」，總感覺自己距離聖道很遠，不能夠清淨，不能夠解脫世間的煩惱，厭離自己的身心。他厭患他的身心，不去貪著他的身。衣食住行，他就不會去放逸了。

「三者於五取蘊，深生怖畏」，色受想行識，這叫五取蘊。因為這五種，他就取惡而不行善，對於色法，也就是一切種種的形形色色，他有貪求，心法就是受想行識，這四法都屬於心法。這是第三種有依輪。

「四者見生死河，極爲難渡」，他依著這四種觀察的時候，在生死苦海中，很難得渡脫過去。就像我們沈淪於生死河，死此生彼，死了又生，生了又死；死了又生，生了又死，要不死就不生了，要不生就不會死了。這個生死海很難得渡，就是沈沒於生死海中。

「五者常樂寂靜，遠離憒鬧」，他常希求寂靜，心離憒鬧，在這塵世當中要到山林，到悠閒的地方去。

「六者樂阿練若，不譏他失」，因爲反對憒鬧，他就希望阿練若，也就是寂靜處。那麼對別人的過失，他不譏毀、不毀謗，不去譏諷別人。

「七者守護諸根，心常寂定」，眼耳鼻舌身意要常時守護好，別讓他犯錯誤。心常在寂然中，在定中不浮躁不散亂，也不昏沈。

「八者善觀緣起，審察因果」，就是這樣起修的，善於觀察諸法緣起。但他這個是獨覺，出生在無佛時，就是獨覺。在有佛出世的時候，他叫緣覺，依著十二因緣觀十二因緣法，觀他生起，觀他消失。爲什麼一年會有四季？爲什麼樹會春生夏長秋收冬藏？就觀這個因緣起。因什麼會生長，因什麼它會消失；觀一切人生的因果報應，善惡因果報應，是什麼因就結什麼果。我們種善因，絕對得善果；種惡因，你絕對要受報。觀察這個人爲什麼這麼苦？爲什麼那個人有那樣的福報、那麼好。

「爲什麼」就是觀察的意思，看他所行、所做的，這只能就現生說。獨覺乘，他在山裡入定，他能夠觀到八萬大劫，有多少萬萬年億萬年的事，他在定中看這個人多生都做什麼，他能看到。但是他有缺點，缺點就是不度眾生，不向人說。

「九者常樂勤修，等持靜慮」，靜慮是定，他能平等的任持，使定不失。定有多種，他是等持，像修道的七覺支、八正道、五根、五力、四正勤、四如意足，他常時勤而不懈怠的。

「十者於集起法，能善除滅」，集是集聚的意思，是獨覺修道的時候。他在這個身心當中，生起種種的因；在因的時候，就能把它消失除滅掉，惡因一定要消失，善因使它增長。

「善男子！若有眞善剎帝利王，乃至眞善戍達羅等若男若女，成此十種有依行輪。於現身中速能種植獨覺乘種令不退失，或於現身證獨覺乘所有聖法，成獨覺乘諸聖法器。善男子！是名一切聲聞獨覺有依行輪。一切聲聞及諸獨覺，依止此輪，速能超度三有大海，速能趣入般涅槃城。」

「善男子」，這是佛對著金剛藏菩薩說的，這個法是金剛藏菩薩請的。若有好的國王，乃至於好的四種種姓，不論他是男是女，若成就了這十種的有依行輪，就在他的修行當中，或者生活的當中，能夠消滅他的罪業，消滅他的惑。能夠種植獨覺的種性，使他不退失，今生未成獨覺乘的道果，那麼他未來能證到。或者有現生就能成爲諸聖法器的，現生就能證到的。

「善男子！是名一切聲聞獨覺有依行輪。」一切聲聞及諸獨覺，依止此輪，速能超度三有大海，速能趣入般涅槃城」，能達到不生不死的地步，證得涅槃，這個涅槃不是究竟的，不是佛那個究竟涅槃，所以是有差別的。

「善男子！有依行輪是何句義？言有依者，名有執取，有我所依，有所攝受，有所繫屬。行謂蘊行、界行、處行、有繫屬行。輪謂教授教誡之輪，如轉輪王所乘車輪，或首行輪。如是一切聲聞獨覺，依止此輪求涅槃道，故此二種非大乘器。所以者何？由彼依止下劣行故，非大乘器。由彼執取自諸蘊行驚怖厭患，自求解脫一切憂苦，不求解脫一切有情而修行故，非大乘器。由彼依止自諸界行驚怖厭患，自求解脫一切憂苦，不求解脫一切有情而修行故，非大乘器。

由彼攝受自諸處行驚怖厭患，自求解脫一切憂苦，不求解脫一切有情而修行故，非大乘器。由彼繫屬有繫屬行，於諸有情不樂攝受，無有慈悲，有繫屬故，非大乘器。由彼觀他具受眾苦捨而不救，但爲自身求解脫故，非大乘器。由彼自斷諸煩惱首，不樂斷除一切有情諸煩惱首，非大乘器。由彼不能馭大乘輪趣菩提故，非大乘器。由彼不能隨大光輪趣菩提故，非大乘器。由彼喜樂獨一無侶入涅槃城而修行故，非大乘器。」

「善男子！有依行輪是何句義？」這些言語名句，有什麼意思呢？「言有依者」，有依行輪，先講有依，什麼叫有依呢？就是「執取」。執著取捨，先有我而後有我所依的法，就是境。

對於好的，就攝受。「有所攝受，有所繫屬」，這是講有依。什麼叫有依呢？依著他的執著取，就有我，有我就有我所，我所就是我所依的。

例如我們的生活離不開食衣住行，冬天冷了，我們要取暖，就是生活之中所有依著。但是執著這些貪戀，有所攝受、有所繫屬，這就把你繫縛到脫離不了。

單講這個「行」字，有依行，行是什麼呢？蘊行、界行、處行、有繫屬行。蘊是五蘊，色受想行識，這五種都是經常不停的運動，就是行。行就是運動義，經常不停的運動。一切的事，就是境，包括你的身體，你的身體是四大種所成的，你身體一切的動作，都不離開五蘊。

受就是領受的意思。外面境界沒有了，但內心領受自己的法身境界，跟它相接觸，就是蘊行。界是十八界，十八界就包括我們的眼耳鼻舌身意，這叫六根；色聲香味觸法，這叫六塵；眼耳鼻舌身意，這叫六識。六根六塵六識，三個加起來三六一十八。界，各有各的界所，各有各的界限。處就是十二處，眼觀色、耳聽聲、舌知味、識攝法，每一個六塵境界跟六識接觸，這就叫十二處。塵跟識跟根接觸，六根跟六塵接觸了，這個就是識所行處。

什麼叫有繫屬呢？就是繫縛的意思。有無繫屬行，解脫了就無繫屬，每一行裡頭就有很多眷屬來繫屬你。說身外色，好比我們的身體，就屬於我們自己的，但我們身外有色，是我們所享受。有些繫屬，有些厭離，你不喜歡就厭離，就是屬於愛憎，愛的就想據爲己有，憎的就想把他脫離掉，這是有繫屬的，這叫「有依行」。

輪就是「教授教誡之輪」，佛給我們說的法，教授我們，教誡我們應當怎麼樣做。就像轉輪聖王所乘的車輪一樣，也是像我們坐的汽車一樣，他可以載我們行動。但是輪有摧輾的功能，輪子底下有一點障礙，小的能夠輾碎。一切的聲聞獨覺依著有依行輪，他能夠證得涅槃道。

「或首行輪」是什麼意思呢？首就是頭的意思，就是斷煩惱。這個斷煩惱首，把煩惱都斷了，好求得涅槃。這二種就是聲聞緣覺，本來書上只說獨覺的，這裡把前面的聲聞也一併合起來說。這個有依行輪，行這個輪不是大乘的法器，不是菩薩，不是盛大乘的器皿，是小乘的，他的器量只有這麼大，爲什麼這樣說呢？

「由彼依止自諸界行驚怖厭患」，他所依止的這個有依行輪，只是對他自己，他不想讓這個苦樂束縛他，不讓這個痛苦來束縛他。生老病死，愛別離，怨憎會，求不得，這種苦難，他很驚怖很厭患。特別是病，很厭患。還有，求不得，你想要求的達不到，你想要捨棄的又捨不掉。愛別離、怨憎會，他要把這些憂苦解脫，但是他只求自己的解脫。「不求解脫一切有情而修行」，他爲了自己的解脫來修行，不是爲了一切有情而出離。

「非大乘器」，就是不屬於菩薩乘所攝的，不是大乘的法器。他的行蘊界處繫屬，他想把這個斷了。他不管一切有情的憂苦，看一切有情受痛苦了，他都不救度，所以他要住到寂靜處，乃至於跟人隔離。他「不求解脫一切有情而修行」，所以說他「非大乘器，由彼繫屬有繫屬行」，他這個繫屬而繫到緣念，他所信樂的，就繫屬，他不信樂的，就排斥。不繫屬，就是對其他的衆生，他不攝受，不肯教育他們，不肯幫助他們，使他們脫離痛苦。「無有慈悲」，爲什麼呢？他只求自己的憂苦解脫，就叫「有繫屬」，而繫縛「非大乘器」。

「由彼觀他具受衆苦捨而不救」，他觀一切衆生受的苦難很多，不去救度，也就是他不肯說法利益衆生，只求自了。不願意住在塵世，所以「非大乘器」。由他自己斷煩惱首，「首」是形容詞，就是斷煩惱的頭，把煩惱斷了，斷盡煩惱。「不樂斷除一切有情諸煩惱首」，不肯斷諸衆生的煩惱，也不肯幫助衆生，不去說法利益別人。所以我們說念經，持咒，禮拜，發願，迴向一切衆生，這就是菩薩了。

聲聞乘的二乘人做什麼？他只迴向自己，絕不會想到衆生，乃至於他的六親眷屬，他也不度。所以大家認爲出家人是無情的，修行必須像木頭、像石頭似的。但是這個是不對的。他不肯救度別人，見死不救，因爲衆生都是在生死苦海當中。他成了道，像他得了六種神通，得了漏盡通了，他應當給衆生說法，但他不肯，自己在禪定中享受快樂，所以他非大乘器。

「不能馭大乘輪趣菩提道」，不能駕馭大乘輪，輪是輪輾的意思，大乘的輪也有輪載的功能。大乘輪就運往到大乘，大乘就是要利益衆生。所以大乘跟小乘自證的境界，大致都相同，就是一個肯把自己的自證境界布施給衆生，有些他不肯布施，怕落到煩惱坑，他自己都度不成，還要度別人，他就不敢再來了。彼「不能隨大光輪趣」，這個大光就是智慧，就是般若的意思。獨覺乘的人、跟聲聞乘的人，不能乘這個大光輪趣菩提道，而達到究竟涅槃證佛果，所以非大乘器。

獨覺乘很孤獨的，他也不結合道友，怎麼叫獨覺呢？他自己獨自靜修，觀這一切諸法的生滅相，他就從生滅相裡頭找到不生滅的理，找到不生滅就生住異滅，所以說他非大乘器。但是我們上面講的兩種十依輪，十有依輪，一個聲聞，一個獨覺。這些法是好是不好呢？是不是我們直接趣向大乘呢？

「善男子！有諸眾生，於聲聞乘、獨覺乘法，未作劬勞正勤修學，如是眾生，根機未熟，根機下劣，精進微少。若有爲說微妙甚深大乘正法，說聽二人俱獲大罪，亦爲違逆一切諸佛。所以者何？若諸眾生於聲聞乘、獨覺乘法未作劬勞正勤修學，根機未熟，根機下劣，精進微少，而便聽受微妙甚深大乘正法。如是眾生，實是愚癡，自謂聰叡，陷斷滅邊，墜顛狂想，執無因論，於諸業果生斷滅想，撥無一切善作惡作，妄說大乘，壞亂我法，非法說法，法說非法；實非沙門，說是沙門；實是沙門，說非沙門；實非毗奈耶，說是毗奈耶；實是毗奈耶，說非毗奈耶。」

佛就教導說，這是錯誤的。如果還不會走路的時候，就讓他跑，會摔跟頭的。所以有的衆生對這個苦集滅道十二因緣，從來沒有出過力。「未作劬勞」就是沒有出過力，沒有好好的用功修行。這個法未修成，大乘的根器還未成熟。如是衆生，未修過二乘法，直接學大乘法，這是不可以的。

「根機下劣，精進微少」，如果今生沒有聞大乘法，他會生起謗毀的，根機未成熟，他的根機是下劣的。而且修道的精進心很少，也不肯精進，就是懈怠，貪著世間的五欲，財色名食睡地獄五條根。他對於欲境界貪求，吃住睡覺，一天當中這個時間就佔多了。我們想想：忙吃的、忙穿的，疲勞了要睡覺，一天二十四小時都去了，你還有多少學道的時間？乃至於念念經，我們所修行的念經，在家人跟出家人當然不能夠對比。我們出家人修行五個小時的很少很少，二十四小時你只修五個小時，還有其餘的十九個小時做什麼？睡覺佔去的很多，人的一生爲睡眠睡去很多，有些人睡八個鐘頭還認爲不夠！

我們現在拜懺，連拜帶聖號帶坐也只是一個鐘頭，完了，大家就聊天。當然這聊天也談佛法談什麼得的，還要忙吃的。從十點半一直到十一點半，一個鐘頭，等下休息一回，差不多一點鐘，這兩個鐘頭隨便就過去了。起來又忙在家事情了，你要把這個時間計劃了，確實是精進的很少，這樣的人給他說微細的甚深大乘正法，讓他去入觀，讓他去參，讓他去修行、體會，這是不可以。說的聽的，俱獲大罪。

爲什麼呢？說者不知根機，他或者生了謗法的罪，這樣做是違逆一切諸佛，跟諸佛所教導的不相合。從小到大，你先從了知這個世間苦，這個苦怎麼來的？是我們做的業，是集來的，苦集是世間的因果；滅道，要知道寂滅是愉快的，是成就的。你要知道，要觀察，這是修道證涅槃，就是出世間的因果，這是兩重因果。在小乘說，這個法本來是四諦法，是小乘，但是他去利益衆生，就叫大乘了。不僅自己要修道證涅槃，自己不再做業了，不再受苦果了，讓衆生都知道，那就叫大乘。

法無大無小，你自己就是受法者。你聽到大乘說諸法是空的，善惡因果不存在，根本沒有，你就墮入斷滅空了。那正好隨順你的五欲境界，這方面好像空了，那方面其實並不空。因此說大乘法，是怕他落於斷見，也不落於常見；要是把涅槃當成常見，把空義當斷見，這就錯誤了。

所以有的一類衆生，沒有正式修過聲聞、獨覺乘，沒有用過功，沒做過劬勞，沒有精進過，根機還未成熟。「根機下劣」，只有微少的精進，就別來聽受甚深的大乘正法。但他認爲自己是大乘根器，自謂聰叡，有智慧。但是陷於斷滅邊，就是斷見。這個斷見他就說空，一切諸法皆空，哪有什麼苦樂可得？實際上本來沒有。我們講《占察經》的時候，下半卷就是講二邊都不立，但是他落於斷見邊，在貪著五欲境界上，他是很精進的，但是要修六波羅蜜，他又很懈怠，精進微少，這樣是墜於「顛狂想」。

「執無因論」，不信因果。對一切業果，作惡業得苦報，作善業得善報，生天享受快樂，乃至成道。不相信這個因果，就生斷滅想，撥無一切的善作惡作，妄說大乘。他學了大乘，就是把大乘法作了斷滅想，著空的，執空的，讓一切佛法善作惡作，作壞事作好事，都一樣。大乘都講平等，泯卻二邊。

在《維摩詰經》上，文殊菩薩問維摩詰居士說：「如何是戒定慧？」維摩詰居士答：「淫怒癡」。這是什麼涵義呢？淫怒癡，沒有實體的，戒定慧也沒有實體的，同是一個法身本體，也就是法性的本體。答的是對的。他說這半面，他說那半面，沒有善惡的。假使說你沒有修行苦集滅道，卻證得了這個空義，那就落於斷滅空，就撥無因果了。撥無因果，壞亂我法，把佛法說的究竟，「是」就說成「非」，淫怒癡是非法的，他說是對的，正法說成非法的，非法又說成正法的。

「壞亂我法」，本來不是佛法，他卻說是佛法；本來是佛法，他卻說非佛法。本來不是出家人，實非沙門說是沙門，實是沙門又說非沙門，這就是顛倒。實非毗奈耶，不是戒律，像我們東土的佛法，寺廟的規矩，這不是戒律，這是祖師規定的，這叫清規，卻說這是戒律。那麼佛所傳的戒律都不學了，把清規學好了就好了，這都是法說非法，非法說是法，實非毗奈耶說成了是毗奈耶，實是毗奈耶說非毗奈耶。

「愚癡顛倒憍慢嫉妒朋黨之心，於大乘法稱讚擁衛令廣流布，於聲聞乘獨覺乘法謗毀障蔽不令流布，不能如實依聲聞乘或獨覺乘或無上乘捨俗出家，受具足戒，成苾芻性，亦不如實修集一切善法因緣。於我弟子，或是法器，或非法器，謂勤修行學無學行，乃至證得最後極果眞善異生，持戒破戒無戒者所，種種毀罵，呵責惱亂，奪其衣鉢，不聽受用諸資生具，繫縛禁閉。」

「愚癡顛倒憍慢嫉妒朋黨之心」，這個廟謗毀那個廟，那個廟謗毀這個廟，這批居士謗毀那批居士，究竟哪一個對，哪一個不對？顛倒是非。他學了聲聞乘獨覺乘的法，就謗毀大乘，學大乘法的，於聲聞乘獨覺乘法謗毀障蔽，不令流布，這是小乘法，不讓他存在。不能如實的依聲聞乘或獨覺乘或無上乘，捨俗出家。聞法了之後就要入道，他不能這樣做當然是不能出家；就不能受具足戒了，不能成爲比丘，不能成爲出家人。

「亦不如實修集一切善法因緣」，集善法的因緣就做好事，一切善法不要因爲這個善小，我們捨一文錢給窮苦人，或者廟上法會的捐獻，你捐一毛錢也好，這叫隨喜。不捐獻還要謗毀，就是沒有一切如實修集的善法因緣。「於我弟子，或是法器，或非法器」，是法器，就是善學如是修行者，是盛法的器皿。或非法器就是破戒的，破戒的就不是好的，這個比丘、比丘尼、優婆塞、優婆夷，就是四衆弟子，不能謂勤修行。

勤修行，就是精進的精勤修行。

「學無學行」，有學位、無學位。無學位就是證了阿羅漢果。有學位呢？就是七位都有學位，初果向、初果、二果向、二果、三果向、三果、四果向，都叫有學位，證得阿羅漢果了。無學位，乃至證得最後的極果眞善異生，這就是證得阿羅漢果，斷見思惑，這就是法器。

或者破戒了，「持戒破戒無戒者所」，有的是持戒的，有的是破戒的，有的連戒都沒有了，這就是學大乘法的，這個說是眞善刹帝利王。眞善戍達羅就是四種種姓，對於破戒的比丘、持戒的比丘、無戒的比丘，他不分，同樣的呵罵毀罵呵責惱亂，甚至於奪其衣鉢不聽受用。他一切的資生資具都剝奪了，他還能生存嗎？他就不能生存了，甚至於還繫閉牢獄。

「如是撥無一切因果斷滅論者，雖在人中，實是羅刹，於當來世，無數大劫，難得人身，寧在地獄受無量苦，不處人中起斷滅見。如是癡人，不久便當肢體廢缺，於多日夜結舌不言，受諸苦毒，痛切難忍，命終定生無間地獄，於諸惡趣輪轉往來，受諸苦惱，難可救濟，多百千劫，難復人身。雖過無量無數劫已還得人身，而生五濁無佛世界，生盲生聾，喑瘂無舌，種種重病，常所嬰纏，或身矬醜，人不憙見，言詞拙訥，耳所惡聞，心常迷亂，無所解了，生貧窮家，眾事闕乏，不逢善友，隨惡友行，樂作惡業，好執惡見，造無間罪，復還重墮無間地獄，輪轉惡趣，難有出期。」

「撥無一切的因果，斷滅論者」，這樣做我沒有錯誤，不受果報的，這是斷滅論者。「雖在人中，實是羅剎」，雖然他是生在人中，但是這是殺人的魔王，也就是羅剎鬼。「於當來世無數大劫難得人身」，今生做了之後，以後經過很長的時間，再想恢復人身，很困難了，他要在地獄裡頭受無量苦。爲什麼他要這樣破法謗毀僧佛呢？因爲他生了斷滅之見，他錯解了大乘的空義。下面我們會解釋這個問題。

「如是癡人不久便當肢體廢缺」，他雖然不信因果，因果卻會找到他，找到他的時候，他就受苦了。這種愚癡人沒有智慧，就他現生的肉體，「不久肢體廢缺」，或者生病廢缺，或者像現在，出車禍，或者是天災水災火災，都可以使他肢體殘缺，而生病的殘缺者多。在很長的時間，「多日夜結舌不言」，再也不能說話了。原因是什麼呢？病苦使他這麼做。業報輪到他頭上，這叫起斷滅見的報應。使得他痛切的痛苦難忍，很不容易忍受，命終之後一定生到無間地獄。

「於諸惡趣輪轉往來」，惡趣就是三惡道，地獄、餓鬼、畜生，「受諸苦惱，難可救濟」，經過好多劫？「多百千劫」，不是一個百千劫兩個百千劫，而是很多的百千劫，要想再恢復人身，投生人間做人，不容易了。必須經過無量劫這麼長的時間，才能夠得到人身。這個劫，無數劫，就說小劫，也是多少萬萬年。無數劫，以人間來計算這個時份，很難計算。「而生五濁無佛世界」，這是五濁，惡世劫濁、見濁、煩惱濁、衆生濁、命濁，到這個時候，沒有佛的世界，就生到我們這個時候。

「生盲生聾」，生下來就是瞎子，或生下來就是聾子聽不見，並不是後來才害病。他一生出就是瞎子，生下來就暗啞無舌，或者舌頭短，或者舌頭特別大，語言說不清楚，而且害的是種種的重病。或者當嬰兒的時候，就被種種的病患纏繞著他，現在有嬰孩還沒有出生，就讓打胎給打了，在母腹裡就死了，這就是他過去的宿業。

「或身矬醜」，是又矮又醜，就是「人不憙見」，人從心裡頭就不歡喜，不願看見或者與他說話。「言詞拙訥」，訥就是口裡頭，那個叫結巴。不曉得說什麼話，說不清楚，一句話說老半天，還沒有把話說清楚，這是結巴。

「耳所惡聞」，耳朵聽不見，意識迷亂，精神分裂。有的從小就精神分裂，我遇到很多，求念地藏菩薩加持他，也有好的，也有念了還是不好的。三五歲的時候也有，或者十幾歲也有，因爲驚嚇等種種原因，使他心常迷亂，什麼都不知道，精神分裂了；而且生到那個家庭，一定是貧苦家庭。資生的資具，「衆事闕乏」，闕衣，闕食。

像這樣的人，生到這樣的情況，再加上種種的因緣，他還能遇著好人嗎？「不逢善友」，沒有這個因緣了。不逢善友就遇著惡友，交的朋友都是惡友，跟他一塊兒作惡事，「樂作惡業」。「好執惡見」，他那個見解，看問題看的非常不對，非常偏，但是執著不捨，這樣就造五無間罪。

五無間很多，受苦無間，時間無間。受苦的時候很長，不像人間，有病了，還好只有一段時間，那就有間了。有間受苦的時候，住監獄，也可以從監獄出來，刑期滿了也可以出來，這都叫有間。無間獄是沒有間斷的。就像那個地獄裡一個大床，八萬多里，一個人在那床上受罪，也看到他身滿床上，一萬個人也是身滿床上，這是無間斷的意思。造了這種罪，來到人間之後，這樣的人壽命還是不長，死了之後又回到無間獄。就這麼來回著輪轉在惡趣，能夠從無間獄出來轉生人，還不錯；要是轉不到人，或者轉到畜生，或者轉到餓鬼道了。

「如是愚癡斷滅論者，壞亂毀滅我之正法，逼惱讁罰我諸弟子持戒破戒及無戒者，皆令不安修諸善品。由是因緣，多百千劫，沒眾惡趣，從闇入闇，難有出期。如是眾生所有罪報，皆爲未求聽習聲聞獨覺乘法，先求聽習微妙甚深大乘正法，如是愚癡斷滅論者，下劣人身尚難可得，況當能成賢聖法器，尚不能得聲聞獨覺所證涅槃，況得廣大甚深無上正等菩提。如是眾生所有過失，皆由未學聲聞乘法獨覺乘法先入大乘。」

「如是愚癡斷滅論者」，這是斷滅論，撥無因果的論者。「壞亂毀滅我之正法」，使佛的正法毀滅了，若毀滅了，就是滅了衆生的法眼，大家就沒有正法可聞了。他遮止很多人，障人家信佛的道路。「逼惱謫罰我諸弟子持戒破戒及無戒者」，對我的弟子，不論持戒破戒，或者是無戒的，他都不能令他們安修善品，不能相信因果，行道、禮佛、拜懺，這些因緣都沒有了。這個惡人由於謫罰破壞佛法，毀僧謗道的因緣，「多百千劫，沒衆惡趣」，常時在三惡道受苦。「從闇入闇」，從黑暗還是入於黑暗，儘管來人間，他也不是一個完人。盲聾暗啞、顛狂，害種種惡病。

「從闇入闇，難有出期」，想出離這種苦難，很難很難。如是衆生所有的罪報，像上面所說的這麼多罪報，所犯的錯誤，所受的苦、果報，皆因爲「未求聽習聲聞獨覺乘法，先求聽習微細甚深大乘正法」，這個果報是指這個因，是什麼因呢？還沒有聽小乘正法，沒有聽二乘的法，就先聽大乘正法。

我還記得最初入佛學院的時候，慈舟老法師他上午講《四分戒》，下午講《華嚴經》，一個是小乘法，最小的小乘法，一個是最圓的大乘法，大小結合。

學小乘法就是檢查你一天所作所為的，身心所作的，你的心想些什麼？身體做些什麼？是不是跟《華嚴經》能相結合？不能結合怎麼辦呢？要懺悔！學小乘法就要懺罪，就是警惕自己的身心，不要放逸，不要狂妄自大；但是這個是不夠的，必須要學大乘法才能了生死，才能了二十種斷，證佛究竟涅槃。如果是學大乘法的，對於善惡因果，認為絲毫不爽，不能因為學了大乘，把世間因果、出世間因果都泯滅了，那是錯誤的。如果你學了大乘法，對於聲聞乘法。獨覺乘法所證的涅槃果，你還是要發揚光大，還要勸一切眾生去學。

我們大家都學了《占察善惡業報經》，上半卷說的跟下半卷說的，簡直是兩回事，上半卷講的就是善惡因果。占察善惡因果，看看你是作善多作惡多，你自己占一下。身口意，你都存在好多的惡業。現生你當然知道，過去生你不知道，要占你無量劫前過去生，都做些什麼？占你未來生，將來走到什麼地方去？這個是在你定業當中，但因爲你修行的關係轉化了，不在此數。

占察輪，隨時占。今天占的時候，可能你要受苦報。天天拜懺，隔天早上再占，可能罪業消失了，苦報完了，沒有了。占察就是這個意思。

「善男子！譬如坏瓶，多諸瑕隙，盛油乳等，盡皆滲漏，能盛所盛，二俱壞失。所以者何？器有失故，如是眾生，於聲聞乘獨覺乘法未作劬勞正勤修學，根機未熟，根機下劣，精進微少，若有爲說微妙甚深大乘正法，說聽二人俱獲大罪，亦爲違逆一切諸佛，所有過失廣說如前。譬如世間庫藏穨穴，置諸寶貨，多有散失。如是眾生，於二乘法，謗毀不信，不肯修學，爲說大乘，不如實解，因此造罪，輪轉無窮，譬如舟船，多諸泄漏，不任乘載泛於大海。」

「善男子！譬如坏瓶」，坏瓶就是瓶子還沒有燒好的，還沒做好的，還有一些漏洞、瑕隙，空隙。這樣你拿它裝油，裝牛奶，它不漏嗎？「盡皆滲漏」，都漏失了。爲什麼呢？所盛者非器，那個盛的東西不是好的東西，盛進去也丟失了，這個盛的器皿也壞了，這是器有失故。也就是說受法者，看他是什麼根器，就給他說什麼法，這樣他就能夠領受。如果他不是這個根器，他是聲聞獨覺乘的，不給他說聲聞獨覺乘正法，反而給他說這大乘正法，這就叫非器。

舉個例子，像中國的禪宗，由於時代的逼迫，沒有經論可學，三武滅佛的時候，禪宗獨盛，經也不要學，佛也不要念，念佛一聲漱口三天，三天都口裡不乾淨。它的涵義不是在這兒，那是純粹的大乘，不假一點方便；那是參頓悟，明心見性。這會養成什麼習慣？從唐迄今，住禪堂的人很少學法，你在那兒講經，他也不聽，念佛堂也不去。他就在禪堂那兒混，除了吃飽瞌睡，還是瞌睡吃飯，就這樣混。甚至於上殿過堂，他都要逃避，什麼都不信了，這是很危險。還不如在念佛堂念念佛，在學堂裡學學教義，還是好的。

學教義的時候，哪一位法師教你，都是從小到大，不是一上來就學大乘的。你住佛學院，也要說八識，分析分析你的意念，乃至調好你的身口意三業，才能進入大乘。否則就像一個壞瓶子，還要想裝東西？瓶子壞了，器皿也失了，所以說衆生「於聲聞乘獨覺乘法，未作劬勞，正勤修學」的時候，根機未成熟，根機是下劣的，又沒有什麼精進力量，若跟他說微妙甚深大法，「說聽二人俱獲大罪」，說者有罪聽者有罪，「亦為違逆一切諸佛」，所有過失，廣說如前，前面已經說過了。譬如世間的庫藏頹穴，置諸寶貨，多有散失。你裝貨的房子，不但說擱寶石擱糧食也丟了。因爲有穴洞，人家也可以進來，已經腐朽了。

「於二乘法，謗毀不信，不肯修學」，二乘法都不信不修學，跟他說大乘法，他能領略得到嗎？領略不到。因爲這個造罪，輪轉三惡道，受苦無窮。「譬如舟船，多諸泄漏」，船已經漏了，就不是一條好船了。「不任乘載泛於大海」，若駕這條船入大海，你會葬身大海。

「如是衆生，多懷慳嫉，於二乘法未曾修學，妄號大乘，實懷斷見，憍慢諂曲，成泄漏身，不堪憑入一切智海。譬如有人，其目盲瞽，不堪呈示種種珍寶，如是衆生，憍慢放逸，執著空見，不學二乘，盲無慧目，不任顯示無上大乘功德珍寶。譬如有人，其身臭穢，雖以種種上妙香塗而竟不能令身香潔，如是衆生，愚癡憍慢，於二乘法不樂勤修，不斷殺生，乃至邪見，雖勤聽受無上大乘，而竟不能解甚深法。譬如石田，雖殖好種，勤加營耨，終無果實，如是衆生，於二乘法憍慢懈怠，不樂勤修，貪求五欲，曾無厭倦。雖於彼身殖大乘種，精進勤苦，終無所成。譬如甕器，先貯毒藥，投少石蜜，不任食用，如是眾生，於二乘法不肯修學，執無因論，爲說大乘，終不能成自他利益。」

這個學法的人「多懷慳嫉，於二乘法」，他還沒有修學，「妄號大乘」，虛妄自稱是大乘，實際上是「實懷斷見」，斷滅見不相信因果。因爲聲聞緣覺是要講因果，講報應的。大乘法則是講空見的，不過他卻是斷滅的空見，是斷見，不是眞正的空見。爲什麼佛說法，有的時候不說有，說非有，說空的時候不說空，說非空，涵義就是不讓你執著，你不要執著有，這個有是非有，也不要執著空，這個空是非空，那麼亦有亦空，這叫四句。空、有、非空、非有，亦空亦有，這叫四句。佛所說一切法都離四句，這都不是正確的。

就像瞎子，你給他擺上種種珍寶，他也看不見，不能夠接受，不能夠領納。二乘人未修學的時候，以這個泄漏的身想入一切智海，不可能。這樣子的人是瞎子似的，連珠寶也認不到。「如是衆生」，自己懷憍慢，本來不學無術，他還認爲自己了不得，放逸懈怠。

「執著空見不學二乘」，執著空見，空有很多種。「盲無慧目」，不顯示這無上大乘的功德珍寶，你給他大乘的珍寶、大乘的法，他認識不到。「譬如有人，其身臭穢，雖以種種上妙香塗，而竟不能令身香潔」，臭穢或者長瘡或者流膿，你雖然給他搽好多香水，還是沒有辦法。

「不斷殺生，乃至邪見」，他說殺生沒有罪的。又像有的人說，豬羊生來就給人類吃的，這叫邪見。乃至於說你作惡，你害人，你一定受報的，害人終害己。我們這樣說的，他不信，他只看見活人享樂，沒有看到死人受罪。他沒有那個智慧，怎麼看得到呢？這都屬於邪見。雖然他聽大乘聽的還是很勤，但是他「不能解甚深法」，不能解到甚深的法義，所以悟不到。「譬如石田」，田地盡是石頭，怎麼還能種種子呢？你想讓這個種下去，結果實是不可能的。

所以這些「衆生於二乘法憍慢懈怠，不樂勤修」，爲什麼不樂勤修呢？「貪求五欲」，貪戀五欲境界，他就懈怠了，也不厭煩，也不勤修。「雖於彼身殖大乘種」，你給這些衆生，下一個大乘種子，但是他是石田，不會生長的，也不會精勤修學的。「終無所成」，始終沒有成就。

例如我們讀《地藏經》，我們認爲《地藏經》是大乘是小乘？說大乘儘講地獄苦，說小乘，地藏菩薩什麼都加持你，三乘道果，你都能從《地藏經》得到。那就是非大非小，亦大亦小，就隨領受的人，看你是什麼思想，是什麼法器。

我們說三歸五戒，入佛門的第一步就得三皈五戒。這三歸五戒屬於大乘小乘？並沒有人將三皈五戒判成小乘，也沒人把三皈五戒判成大乘。如果你受了三皈五戒，直到發菩提心利益衆生，那就是大乘。你受了三皈五戒之後，對世間厭離想求出離，先管自己不管別人，那就是小乘。一切法沒有大小，但看用者之心如何！但是在這個次序上面，在佛的教義當中，好像《阿含經》是小乘，《般若經》就是大乘，《阿含經》也有講大乘的意思，但是我們領略不到。佛說法沒有單純的，並不是小絕對小，大絕對大，沒有這樣的。法無定法，依心上立，就依我們學者的衆生心，來立這個法的大小。

「譬如甕器，先貯毒藥，投少石蜜，不任食用」，或者一個碗、罈子，或者一個缸，隨便一個盛貯的器皿，過去裝過毒藥，如果你不洗乾淨，你再投入石蜜，石蜜就是冰糖，雖然你把它化了，還是不能吃，吃了會中毒的。

怎麼能解決問題呢？「如是衆生，於二乘法，不肯修學，執無因論」，就不講因果，無因論。這樣的人你給他說大乘，他能夠成就自他利益嗎？不但不能利益他人，連自己也利益不到。

「譬如甕器，先貯石蜜，投少毒藥，不任食用，如是眾生，精勤修學二乘正法猶未成就，爲說大乘，二俱壞失。譬如有人，癡狂心亂，爲作音樂，不能了知，如是眾生，於二乘法未曾修學，貪瞋癡等猛利煩惱擾亂其心，執著無因，及斷滅論，根機未熟，爲說大乘，雖經多時，而不能解。譬如有人，不著甲冑，不持刀杖，輒入陣中，必遭傷害，受諸苦惱，如是眾生，於二乘法未曾修學，智慧狹劣，根器未成，爲說大乘，必生妄執，由此展轉，造惡無窮，如是癡人，不久便當肢體廢缺，於多日夜結舌不言，受諸苦毒，痛切難忍，命終定生無間地獄，於諸惡趣，輪轉往來，應知如前次第廣說。」

「譬如甕器，先貯石蜜」，你給他投少一點毒藥，一點點就可以，你還是食不得，吃了照樣的毒死。「如是衆生，精勤修學二乘正法，猶未成就」，像這類衆生修二乘法，因爲他懈怠，修什麼也成就不了。要是再給他說大乘，二乘壞了，大乘也壞了，兩者都成就不了。

「譬如有人，癡狂心亂，爲作音樂，不能了知」，他的心都亂了，你給他彈琴，或者給他唱歌，什麼都聽不進去了。就像衆生於二乘法，沒有修學過，貪瞋癡很猛利，煩惱擾亂他的心。他「執著無因」，你說什麼他都不聽，他執著斷滅論。像這樣的人，你說什麼法都不成，你就算給他說多久的時間，他也不能理解。

「譬如有人，不著甲冑，不持刀杖，輒入陣中，必遭傷害，受諸苦惱」，這是指當時興兵作戰都得穿上外套披上盔甲，裡頭還披上甲冑，冑者就內穿的，鎧甲是外穿的，我是在西藏看見的。西藏每年到春節的時間，跑馬射箭，他們把鐵盔鐵甲都穿上了，那好重，現在的馬根本撐不起。那鐵盔鐵甲就一百來斤，再加人的身體一百來斤，還得人往上綑著才能上得去，都是眞正的鐵。我們演戲還只是形容，西藏的演戲是眞正的鐵匳鐵甲，拉弓射箭。如果連這個你都沒有防護好，手裡沒有拿刀沒有拿箭，還是用你兩個拳頭，到兵陣當中去打戰，那是不行的。現在更不行，現在是槍砲，跟那個時候又不同了。

給他說大乘法，不是落於斷滅見，就是落於常見的，他就執著二邊。由這樣的輾轉，造惡無窮，就會造很多的過錯。像這種沒有智慧的癡人，不久便當肢體廢缺。由於謗毀三寶，昧於因果，「於多日夜，結舌不言，受諸苦惱，痛切難忍」，命終之後，一定生到無間地獄，「於諸惡趣，輪轉往來，應知如前，次第廣說」，這前面都說過了，在地獄受苦，無窮盡的受苦。

「善男子！是故智者先應觀察一切眾心然後說法，先當發起慈心、悲心、喜心、益心、不懈怠心、能忍受心、不憍慢心、不嫉妒心、不慳悋心、等引定心，然後為他宣說正法，終不令他諸眾生類，聞所說法，輪轉生死，墮大險難。是故如來善達一切眾生心相，以無塵垢無取行輪爲說正法，具大甲冑一切菩薩摩訶薩眾，爲他說法亦復如是。由悲愍故，爲令斷滅諸煩惱故，爲令超度三有海故，爲諸眾生於三乘中，隨心所樂，隨趣一乘，速圓滿故，爲說正法，終不令其輪轉生死墮大險難。」

有智慧的人應當先觀察眾生，觀察他的心念是什麼？這必須得有他心通，有宿命通。如果不具足又怎麼辦呢？你應當先發心，「發慈心」。慈心就是施予眾生一切快樂，拔除眾生的痛苦。「大悲心」，看眾生的痛苦，就像自己的痛苦一樣，這就叫發菩提心。具足這麼多心，生起歡喜心，對法歡喜，對眾生歡喜。生益心，一定有益於眾生。「不懈怠心」，修法說法都要精進，能忍受眾生的惱害，種種的毀謗，他能忍受，因爲消災了。「不憍慢心」，像眾生跟我都平等，如果脫離眾生，你就不能夠成佛。

那天我跟大家說報四重恩，知道四重是什麼嗎？我們只知道父母、佛，不知道衆生恩。報四重恩，第一個就要報衆生恩，沒有衆生，你成不了佛，慈悲喜捨是對誰？衆生是成就你佛道的。能忍受不憍慢，還要不嫉妒，不慳吝。

「等引定心」，要具足這麼多心，由定力引發你的身心愉快，身心安靜，身心安和，這叫「等引」。然後爲他宣說正法，說大法，不令他聞所說法，輪轉生死。只要聞了法，使他能斷絕生死之路，起碼要斷絕三惡道苦。

我以前是講華嚴、講法華的。當初學法的時候，待過兩個佛學院，前五年是學華嚴，在鼓山。後五年是在湛山寺，倓老法師是學四教，是以法華爲主的。到了美國之後，改學地藏，就講《地藏三經》。誰要是能念《地藏經》，信了《地藏經》，見著地藏菩薩像，供地藏像，三塗絕對斷的，這些險難都沒有了，這是佛說的。我認爲講這個，衆生就不會再輪轉生死，墮大苦惱。完了有時候再給講講〈普賢行願品〉，講講《華嚴經》的三品，也就是講講文殊菩薩怎麼樣教我們善用其心，我們只要會用心就好了，善用其心斷一切惡。你得會用心，見什麼發什麼願，願一切衆生都成佛。

「如來善達一切衆生心相，以無塵垢無取行輪，爲說正法。」以下是佛輪，這幾段經文很深，大家要注意聽。

「具大甲冑一切菩薩摩訶薩衆」，他在衆生裡頭不受衆生的沾染，在戰陣當中他穿了盔甲不受傷害，這是大菩薩，這樣才給他說法。這是「由悲愍故，爲令斷滅諸煩惱故」，悲愍一切衆生，使一切衆生斷除這些煩惱，「爲令超度三有海」，欲界色界無色界，叫三有。一般的三有是指這個說的。

「爲諸衆生於二乘中隨心所樂，隨趣一乘」，就是普遍說法，三乘都說。這個眾生於那一乘有緣，他就學那一法好了，所以大中小三乘都說。「速圓滿故」，如果隨機說法，他應機而得度，這樣子使他很快圓滿。「為說正法，終不令其輪轉生死，墮大險難」，說法的目的就使眾生離苦得樂，不再墮於險難，險難就是三塗的險難。

「云何名無塵垢行輪？無塵垢者，謂說法時，不為有蘊，不為有處，不為有界，不為有欲界，不為有色界，不為有無色界，不為有此世，不為有他世，不為有諸行，不為有受，不為有想，不為有思，不為有觸，不為有作意，不為有無明，乃至不為有老死，不為有行及不行故。為諸眾生宣說正法，唯為一切諸蘊處界，廣說乃至行與不行，皆寂滅故，為諸眾生宣說正法，以是義故，名無塵垢。行者，所謂為能永斷死此生彼，為諸眾生宣說正法，為能永斷諸蘊處界，廣說乃至為能永斷行與不行，為諸眾生宣說正法，是名為行。輪者，所謂如滿月光，清涼無礙，遍滿虛空照觸一切無障境界，如是如來及諸菩薩，所有神通記說教誡三種勝輪作用無礙，遍諸世界，利樂一切所化眾生，令諸眾生不異歸趣，不共一切世間眾生，不共一切聲聞獨覺，能令眾生斷滅生死諸苦惱法，證得安樂菩提涅槃，是名為輪。如是名為諸佛菩薩無塵垢行輪。」

這叫無塵垢輪，這是空義。剛才說是墮這個斷滅見，但是這個是講法的微妙，不使他墮斷滅見。

「有」就是色法，包括心法。「有蘊」就是五蘊，色受想行識。「不為有處」就是十二處，「不為有界」就是十八處。又單一個別的說，「不為有欲界」，「不為有色界」，「不為有無色界」，是指三界。「不為有此世」，「不為有他世」，此世就是今生，不為他世就是未來。「不為有諸行，不為有受，不為有想，不為有思，不為有觸，不為有作意。」

這是受想行識。

「不為有無明」，乃至於不為有老死，這是十二因緣。十二因緣無明緣行，行緣名色，名色緣六處，乃至於老死。

「不為五取蘊」，五取蘊，色受想行識十八界，十二處不有作意，思、想、受、行，這一切都是不存在的，如夢幻泡影。乃至於無塵垢行，乃至於有行及不行，這些就是顯中道義，不落斷常二邊。

下文又重複說。為什麼要重複說呢？因為這個義不好懂。佛說法是清淨的，清淨輪塵垢就是所作的、所行的、所說的教化，都是清淨的。在說法時，不執著此，也不執著彼，一切無著，不執著，無有彼此，彼此都叫對待的，有對待就有塵垢，所以是無對待法的。離二邊顯中道，離四句絕百非。

要斷生死，要行這個無塵垢輪，讓一切都寂滅，都是清淨的。上面我們所念的這些都是寂滅故，給眾生說的是正法，以是義故，名為無塵垢。行者，要是這樣去做，能夠永遠斷死此生彼，這就叫行。無塵垢就必須得到永斷生死，證到究竟涅槃，這是正法，究竟的正法，永斷諸蘊處界，五蘊十二處十八界。

要是廣說起來，一切行與不行，都要斷絕。沒有行也沒有不行，這才叫無塵垢輪。無塵垢輪就是這樣，沒有行也沒有不行，行即無行，不行即行。佛所說的法都是無始終的，所以叫圓。你在那兒去找源頭，沒有，找結尾，沒有，是圓義。現在用這個顯無塵輪。這有十種的甲冑輪。

這個輪是譬喻說的。譬喻什麼呢？譬如法。說這個輪子，輪子底下能夠摧毀一切障礙物，那麼用佛教講，佛所說這個輪，就像十五的月亮似的，那光明照的很普遍。如果是夏季，晚上月光一出來就很清涼的。譬如光明的意思，就是它無有障礙。光明就是現在那個空中，沒有障礙的，也就是無障礙的境界相。那是形容著佛與那些大菩薩，他們所有的神通記說教誡，這三種殊勝輪的作用也是無礙的。

至於神通，在佛的六根，眼耳鼻舌身意，都變成神通。那麼天眼、天耳，都加個天，天者，就是自然的意思。當你證得了，明白了，開悟了，恢復你原來的本體，這些被迷惑的境界，障礙境界都消失了，就有神通了。神通就是你的智慧本性，神通的體是智慧的。神就是不假思議的，人家看見一件事說這人眞神，眞神就像變戲法的，都感覺他神。

或者吞刀吐火，你感覺很神，因爲你不能做。你看他做的，你感覺很神。佛的神通是很自然的，他一看見衆生，他就知道衆生相，知道衆生的過去生，應當給他說什麼法，使他能夠開悟。「記說」，大菩薩諸佛，他對於衆生心裡所思念的，他記得住。因他所記的，因他心的作用，而給他說法，叫記說。

「教誡」，凡是佛說的法都叫教誡。像我們跟著上師求教誡的時候，就是誡勉你，教化你的意思。教誡就是說法的意思。這個本來是說戒律的教誡師，教你怎麼樣去做。那麼，這三種殊勝的法輪，他的作用是無障礙的，作用無礙，不是對某一個衆生度，對另一個衆生不度，對某一個世界度另一個世界又不度，這就有分別。所以說利樂一切衆生，利樂所化度的一切衆生，令這衆生，不異三乘同修，只要佛所說的教法，從三皈起，你修行就好了，用大乘信來修三皈，那你所歸的所依的，就依著你自己心，歸你自己的心，這叫究竟。

一切法到了究竟處，就是你現前的一念平常心，這就是最究竟。歸趣，就歸依到你這個心，歸趣三乘道果，或者歸依佛果，這是跟一切世間衆生不相共的。這是專指諸佛菩薩，不但跟世間衆生不共，跟出世間的聲聞、緣覺乘的衆生也不共，佛的大慈大悲、無量慈悲喜捨，是不跟二乘人共的。爲什麼不跟他共呢？

以下就說二乘人。二乘只爲自己，不爲衆生。像衆生的痛苦，他是不管的，他也不去救度。因爲佛菩薩能令衆生斷滅生死一切諸苦惱，生死是因衆生煩惱而起的。在生死輪迴的當中，衆生有無量無邊的苦惱，讓他停息了、斷滅了生死苦輪，不在六度輪迴所轉。那麼證得什麼呢？證得安樂菩提的涅槃。菩提就是覺，因爲覺悟了，因爲不生不滅了，涅槃是不生不滅了，得到究竟的安樂，是名爲輪。我解釋這個「輪」字，這是指是法說的，這才叫究竟，到了無塵垢。無取行，行，沒有能行、所行，就是無取，這個叫證得。這樣安樂，這就叫「如是者名爲諸佛菩薩無塵垢行輪」。

「云何名爲無取行輪？謂於諸法無所罣礙，猶如日光普照一切，三乘根器，隨其所宜，宣說正法，無所執著。謂諸如來爲諸眾生說如是法，猶如虛空無差別相，以無量定遊戲自在莊嚴住持，爲諸眾生說微妙法無所執著，具大甲冑。一切菩薩摩訶薩眾，爲他說法亦復如是，謂說諸法非有非空，非即色空，非離色空，乃至非即識空，非離識空，非即眼空，非離眼空，乃至非即意空，非離意空，非即色空，非離色空，乃至非即法空，非離法空，非即眼識空，非離眼識空，乃至非即意識空，非離意識空，非即欲界空，非離欲界空，乃至非即虛空無邊處空，非離虛空無邊處空，非即識無邊處空，非離識無邊處空，非即無所有處空，非離無所有處空，非即非想非非想處空，非離非想非非想處空，非即四念住空，非離四念住空，乃至非即八支聖道空，非離八支聖道空，非即緣起法空，非離緣起法空，非即三不護空，非離三不護空，非即四無所畏空，非離四無所畏空，非即十力空，非離十力空，非即十八不共法空，非離十八不共法空，非即大慈大悲大喜大捨空，非離大慈大悲大喜大捨空，非即涅槃空，非離涅槃空，是名如來及諸菩薩爲諸眾生宣說處中微妙王法。」

「云何名爲無取行輪」呢？這兩個是合說的，現在分開了。先說無塵垢的行輪，完了，再說無取行輪。

「謂於諸法無所罣礙，猶如月光普照一切」，前面用月光形容，是消除我們的熱惱；現在用日光形容，是消除我們的黑暗。日光是普照一切的，所有的聲聞乘、緣覺乘、菩薩乘，他應以何法得度者，就跟他說什麼法，隨其所宜。什麼法與他相應，就跟他說什麼法。一切眾生乃至聲聞緣覺，都有執著。聲聞緣覺的我執沒有了，他斷了我執，但是法執還在。我是假的，法是眞的。

所以在《金剛經》上，佛對須菩提說：「知我說法，如筏喻者，法尚應捨，何況非法。」你知道我以前給你所說的法，是讓你度過生死的，就像那過河的船一樣，河已經過了，船就不要了，還執著它做什麼呢？

所謂正法者，對機說的法都是正法，使他得度了，就叫正法。不對機，你就算說再多的正法，去不了執著，去不了苦惱，也不是正法。因爲他沒有理解，這就是讓眾生不要執著。

諸佛如來爲諸衆生，說如是法，什麼如是法呢？就是以下我所說的如是法。「如是」是指法之詞，就是指什麼東西。如是法是什麼法呢？這個法就像虛空似的，沒有差別相，相是在虛空之內建立一切的，虛空本身沒有差別相。所有三乘諸道的衆生，佛說了無量的定。定有無量種定，定不是坐著不說話，六根不動，才叫定，並不是那樣的，他是一切的行動都在定中。

諸佛菩薩看到幻化的衆生，佛所說的法也是幻化的法，度衆生的時候就像我們遊戲一樣的，遊戲什麼呢？「自在莊嚴住持」，就是佛說的法住持，住持在法上，莊嚴這個法，但這個法實際上是沒有的。

「爲諸衆生說微妙法，無所執著，具大甲冑」，具大甲冑是跟衆生的煩惱戰爭的時候，無所畏懼，不會被衆生所染污。如果工夫不深，沒有這個定力的話，本來是度衆生，最後反而跟衆生一樣，就被衆生的染污所染著。

在法上要是起執著，在衆生上要是執著衆生相，就不是究竟了義。在初步的時候，這樣是不得行的。要知道在什麼時候說什麼法！

無塵垢輪是什麼樣子？佛行無行輪，無行輪是無取行輪，不取一切法，就是在他運動當中，行就是運動，在所有一切作用當中，方便善巧的智慧不是根本的，那是幻化的，這種方便善巧是微妙的法。

什麼是微妙的法呢？下面就解釋微妙法了。什麼都不執著，無所執著。具大甲冑，這個大甲冑是什麼呢？空義，一切無作。所以說一切的菩薩摩訶薩，就是大菩薩菩薩摩訶薩，摩訶翻大，度衆生、利益衆生的時候，就是他的慈悲喜捨心最大，乃至於法大，稱體相故。衆生能夠明瞭自己的心，自心體相，給衆生說法，就是這樣的說，亦復如是。

「說諸法非有非空，非即色空非離色空，乃至非即識空非離識空。」

佛所說的法，不執著相。說有，衆生就執著有；說苦，這眞苦，三苦八苦無量諸苦，生老病死苦、愛別離、五陰熾盛、求不得，你所求的事達不到目的，苦死了；每個人都有求不得的苦。

生苦病苦，生苦都忘了，生的時候那個痛苦讓你都昏了，記不得了，來回輪轉的苦，記不得了。又說這是有法，要一說有，衆生就執著了。佛不說有，在大乘教義裡都說非有。這個有非有，非有不是空，非空，非空不就是有，不是的，這是說空義。這個空不是像你所執著的那個空，對你執著說非空，這個有對你所執著那個，叫非有。

一切諸法有空二邊，非有非空，就是中道。不說決定有，又不說決定空；空即是有，有即是空。空在有中，有在空中，這才是色即是空，空即是色，這就是總說。總說所謂諸法非空非有。

以下就分別說了。先說色、受、想、行、識，我們不講五蘊。五蘊法也是空的。色本身就是空的嗎？離了色，在色上說空嗎？是離了色說空呢？在色上說空，本來是有的，譬如這朵花，我們說這朵花是空的嗎？空是有，但是不實在，沒有自體。說它非有，在有上說非有，說非有就是空，非空。現在有具體事實在，怎麼是空的呢？在這個問題上你要悟，去參！

像我們這個肉體，有嗎？確實有。這個人名字形相，都是有的。但是他不是實在的東西，可變化故，無自體性故。我們的肉體是四大種合成的，地水火風。在《楞嚴經》上講七大，再加上空根識，地水火風成就的肉體，沒空不行。

大家可能說我的肉體怎麼會有空？你腹內的五臟六腑都是空的。每個器官跟每個器官，它們中間有空隙，要是沒有空隙，就會黏到一塊，各個作用都失掉了。地水火風離開了，如果腹內沒有空氣，你還能生存嗎？沒水沒什麼都可以，要是沒空氣你馬上就斷氣了。

人到最後死亡的時候，他也沒吃，也沒喝，還能活幾天。氣斷了，那就死了。所以地水火風空根識，根就是眼耳鼻舌身意六根，還有一個識，肉體雖然壞了，八識不壞。

所以一切諸法，先舉色法，色法是空的嗎？是有的嗎？色法不是空的，也不是有的。是色即是空，還是空即是色呢？兩個顛倒的。這個色是不是就是空？還不能這樣說。色不即是空，空也不即是色，空是空，色是色；色是色，空是空。不只色法如是，受想行識，受想行這三個就略去了，「乃至」，就是超略的意思。

「非即受空，非即行空，非即想空」，這個就不重複了。色受想行識，都如是。說蘊，非蘊即是空，也非空即是蘊，就是這個涵義，這就是五蘊色法。

即時空，還是離時空？即也不對，離也不對，非即非離。眼耳鼻舌身意，又說六根，那麼非即眼空，非離眼空，「乃至」又超略了，非即意空、非離意空。超略什麼呢？超略中間的四個，耳鼻舌身這四個超略了，這「乃至」就過去了。每個都這麼套一下。《大般若經》六百卷，就這麼說來說去，來回這麼轉。所以他不簡略，沒有「乃至」，六個都擺出來，一個一個擺。所以經文的文字就多了，是這個涵義。

在其他的經上，他用「乃至」兩個字就都略了。所以這一段文字，你懂得其中一個意思就都懂了，不即不離，這就是中道義。即也不是，離也不是。你讀大乘經典，離四句，絕百非，怎麼說都不對。四句的意思就是，有、無、非有、非無，這叫四句。即色是空不對，離色是空也不對，離識是空不對，即識是空也不對，這叫離四句的意思。

「非即色空，非離色空」，乃至「非即法空，非離法空」，為什麼又要說一道呢？不說色心法，先說色法，後說心法。心就是法，說心法，也都是不即不離。完了又說六識，「非即眼識空，非離眼識空」。以下又超略了，乃至眼耳鼻舌身意，六識，「乃至非即意識空，非離意識空」，離不可以，即也不可以，也就是非即非離的意思。

「非即欲界空，非離欲界空，乃至非即虛空無邊處空」，這個超略就多了，欲界、色界、無色界都超略了。欲界六天、色界十八天，都超略了，就說到四空天了，也就是識無邊處天、無所有處天、非想非非想處天、空無邊處天。四空天，也不是空的，也不是有的。四空天建立空中，應該空的，不是的，因爲他有住在那個天的，有意識。他以爲沒有了，實際還是有的。無所有處，本來沒有，但是加個「處」字就有了。

無所有就沒有，加個「處」字，他以爲生天還是有個處所，好像我們有住居的地點。這個四空天就是外道天，但是阿羅漢果，也居住四空天。所住天是不同，他入那個定，他就在正定當中，那些在四禪八定，在識無邊處定，無所有處定，他入在哪個定就到哪一天，這叫九次第定。

在有法當中，舉了這麼多的例子，這是舉聖道。佛所說的法，四念處、四如意足、五根、五力、七菩提、八正道，三十七道品，這都是菩提聖法。即四念處空，或離四念處空。以下的「乃至」就超略了，八支聖道空，離八支聖道空就超略了。

四正勤、四如意足、五根、五力、七菩提都超略了，就不詳細說了。

佛所說的法，也如是；不但世間諸法是空的，佛所說的法也是空的。但是不能偏於空那一邊，偏於空就落斷見了，偏有就常見了，不是執常就是執斷，不是執有就是執空，這都是般若義。

本來《十輪經》是講有的，是講苦的，要你厭離。每一部經要絕對判爲大乘、小乘是不可能的，他裡頭涉及各個部分；像這就是《般若經》，這些都是從無有無空的當中去體會。舉這些相，因爲佛說這些法，世間有這些相，三界二十五有，都有這個相。要把這個即和離弄清楚。就是在色上說空，在空上說色。離色空，即色空，離開這個四念住空，或者即四念住空，都不對。懂得這個意思就行了，這就叫妙法。所以學佛法的人應該知道圓滿的意思。你怎麼執著都不對，這是破執著的，給他說執著的法。

我們經常講緣起法，諸法緣起，緣生無自性。緣起法是空的，是有的。那麼「非即緣起法空」，不是緣起法本身是空的，也不是「離緣起法空」。懂得性空緣起了。這都是講性空的，說了很多都是性空。爲什麼有緣起？緣起是各種因緣，多種緣成的，少一緣，這法不成，就是這個涵義。

你要是懂得緣起性空的道理，這些道理都懂了。專講緣起性空，就有好幾部經。緣起法，即緣起法是空的，離緣起法是空的。每一法上都加個「非」字，你所說的「但有言說都無實義」，言說的法不是法。離開言說就有？離開言說還有什麼顯？那顯不出來。說到眞如，說到究竟，沒有言說的。

「但有言說都無實義。」只要說出來，說什麼不是什麼，不是這個，不是妄語。別理會這個，那不是說假話，不是的。你說什麼不是什麼，說說那個東西是一個表示，一個符號。

像我們說火，火絕對不是火，要是火的話就把你給燒了。應該懂得這個涵義，你說什麼並不是什麼。你或者說張三，張三就代表，這個張三不是那個本人的張三，而是他的符號。符號，張三也可以，張四也可以，改張五也可以，改個什麼都可以。符號是可以隨便改變，不是實體，你從這個上可以體會到。

我們本心、眞心，一切言語都不能顯示出來，這叫離眞如。〈大乘起信論〉，大乘經典都叫離言眞如，離言語道斷，心行處滅。想要思議觀察，沒有，一觀察就錯了，百非就是這個意思。你只要一動意念，錯了，這個意思很深的，不是我們這部經的本義。

三不護，只是指佛說的，佛的身口意三業是純善的。隨便怎麼做，身怎麼做都是善的，那就達到眞善美了，究竟清淨了，永遠離過的，不需要再加上防護。護是防護的意思，佛就不要護了。阿羅漢、菩薩，他還要防護，身語意還要注意，身語意還有微細的無明，微細的習氣。

在印度的時候有一位尊者，他無量生以來的習氣非常重。因爲無量生來不是做國王，就是做大長者，染成說話的無量劫習慣，稱人家都是小婢，他並不是憍慢，而是習慣。他見了佛，聞了法，證了道。他有神通有力量，龍王天龍鬼神都護持他的。他過河的時候，過不去，他喊：「小婢斷流！」要那龍王給他斷。龍王知道他是證得阿羅漢的，就斷了河讓他過去，他也沒說個謝字就走了。這個龍王就跟佛告狀，說這位尊者他太不客氣，太驕傲自滿。佛就跟他說，他沒有輕視心，他是過去的習氣，雖然證了阿羅漢果，只能斷見思惑的現行，粗惑斷了，細惑他沒斷，他的習氣還在。

我們要斷習氣是很難的，多生累劫帶來的習氣，修道者一看，就知道你的習氣；各人要了解各人的習氣，改習氣很難。佛就跟他說：「好我讓他給你道歉，讓他對你懺悔。」就叫這位阿羅漢來跟他懺悔。這位阿羅漢又說：「小婢莫瞋。」哈哈！他當著佛面前還要說小婢，佛說這是他的習氣，沒有辦法改。他改了這個習氣，就當了大菩薩。

我們有很多問題，各人都不同，各人有各人的習氣。一母生九子，九子各別，各人是各人的習氣，種子相同的，習氣不一樣的，絕對不一樣。所以修道者要防護三業。這叫三不護。

「三不護空」，三不護是沒有的，佛的三業是沒有的。不即也不空，也不離，離了三不護說空。你說什麼空呢？離開實體了，還說什麼空呢？即三不護空，三不護空是佛的身口意三業。佛的身口意三業是清淨的。所以四無所畏、十力、十八不共法，乃至大慈大悲四捨都如是，乃至佛證得涅槃，涅槃不生不滅是空的嗎？是即涅槃空，是離涅槃空，即也不可以，離也不可以，涅槃本身就是不空不滅，不生不滅的，非染非淨的。

這就是一切如來跟大菩薩給衆生宣說的微妙王法，這叫無塵垢輪。隨著執著，就不是清淨了，有塵垢。所以諸佛菩薩度衆生不見衆生，終日度衆生無衆生可度；終日說法，沒有說法，沒有說一句，就是這個涵義。這不是頓義，頓義是離言說的，但有言說都不是頓教，以這個無取行輪說微妙法，一說到微妙法，即也不可以，離也不可以，說空不可以，說有也不可以。

「善男子！如是如來爲諸眾生，以無塵垢行輪說法。如滿月光清涼無礙，遍滿虛空，照觸一切無障境界，乃至廣說。又以無取行輪說微妙法，於一切法無所罣礙，猶如日光普照一切，三乘根器，隨其所宜，宣說正法，無所執著。謂諸如來爲諸眾生說如是法，猶如虛空無差別相，以無量定遊戲自在莊嚴住持，爲諸眾生說微妙法無所執著，令於三乘隨宜趣入。具大甲冑一切菩薩摩訶薩眾爲他說法亦復如是，令諸眾生聞此最勝甚深法已，於三乘中，隨其所樂，隨趣一乘，種種善根皆得成熟，隨於一乘極善安住，終不令其於生死中增長種種惡不善法，令於涅槃堅固不退。」

以無塵垢行輪，像月光一樣的。滿月的清涼無礙，月光遍滿虛空，照觸一切無障礙境界。月光照耀，月即無意照耀，自然如是。受者也無意的受，也不是有意的受。微妙法，於一切法無所罣礙，不執不著，無罣無礙，就是非有非空即有即空，都不可以。

「猶如日光普照一切」，太陽出來，大地的黑暗都消失了。佛對三乘的根器，聲聞、緣覺、菩薩，隨他所依。佛說法不是佛想說法，而是衆生的需要，根機成熟了，就得宣說正法。每一個說法都是不請不說，都有因緣的。因爲請，佛才說，又有助緣，諸大菩薩來助化，文殊、普賢、觀音菩薩，他們不需要聞法，他們是來助佛揚化的，來證明他們之所以成道，就是因爲修行證得來的。

「無所執著」，對一切法無所執著。爲「諸衆生說如是法」，如是法，就是「猶如虛空無差別相」。佛所說的法，我們知道有世間因果，出世間因果，善惡果報，這都是應機說的。虛空裡頭，沒有這個相、那個相。有相，是那相的本身。

「以無量定遊戲自在莊嚴住持」，就是用無量定莊嚴自在住持。住持什麼呢？住持這個妙法，無住持的住持，「莊嚴眾生實非莊嚴是名莊嚴」，這是套用《金剛經》的語句。在這個段文字裡頭都不要執著。解脫，有縛才說解脫；無縛，解脫也說不上；無縛無解，沒有束縛也沒有解脫。

眾生斷煩惱證菩提，有煩惱可斷嗎？沒有煩惱可斷，哪有菩提可證呢？張無盡居士說這麼兩句話，「斷除煩惱重增病」，說你想斷煩惱又增一層病，增個什麼呢？斷煩惱，這個斷就是病。「趣向眞如亦是邪」，邪知邪見，你要趣向眞如證實相求實相都是邪見，那是到究竟了義。只要一開口就錯了，離四句絕百非，無言說就對了？佛又爲何苛責啞羊僧？啞羊僧究竟該怎麼做呢？入了才知道。

這都是要你證大乘了義的實相義。妙法的意思就是要你無所執著，要達到這麼一個目的，讓眾生聞什麼都不執著，對什麼都不執著。佛一說法的時候，有無量億衆生來聽法的。有人問我說：「法師！那時候在印度好多人口？」我說：「我也不知道，我怎麼知道印度好多人口？起碼沒有現在多就是了。」他反問：「佛說法那個法會上有那麼多的人嗎？」我說：「那些不是人。」他問：「不是人是什麼？」「天、菩薩，他方世界來的，在虛空中。」「那這個世界容得下嗎？」我說：「那是你的看法。」這樣理解完全是錯的，這叫執著。佛是在虛空中說法，所說的法音遍一切處。

有一位法師說法，只要五個人以上，他就不說了。西藏喇嘛要傳比丘戒，不像大陸上傳比丘戒，人愈多愈好，後來還發展成三個人一壇，五個人一壇。我們在法源寺，那些老和尚說戒的時候，五六十個一壇，時間還來不及，這都是不合法的。一般的是一對一。

你看我們那些大德如實開悟的，都是一對一傳戒。戒師會就問他，單對他的機說。我們沒有佛的三根普被，沒有那個本事。在佛陀時代，佛說了一段法，就有好多人開了悟，證了果，乃至於發了菩提心。我們說了好多次也沒有誰發菩提心，就是發了，你也不知道，但是發也不是眞的。到了初住才能發眞正菩提心，這叫做隨宜說法。

「爲他說法，亦復如是，令諸衆生聞此最勝甚深法已」，最殊勝甚深的法，這就是心法。上面所說的這些非即非離，不要在文字上去想，這就達到我們的心。你說你的心，眞正的心是什麼樣子？思惟不是那個心，離開思惟，我的心又在那兒？你要離開心意識去參！參了，就開悟了。用分別心，你到老和尚那裡，請他開示，你一生起分別心，他就打你，這有甚深的妙義。

像俱胝和尚，人家一請問他，不論誰請，就是一指禪，那來的人就開悟了。不論誰請法，他都給你伸一手指頭，來的人就明白了，在那裡就開悟了，就給他叩頭禮拜道謝。有一天他不在家，只有小徒弟在家。別人來問法，說師父不在，這個人就請問：「如何是祖師西來大意？」

這位小徒一伸手，哈！那人又高高興興給他叩頭禮謝，走了，開悟了。他師父回來問說：「有沒有人來？」徒第說：「有人來請法的。」師父又問：「你怎麼答覆他？」小徒弟就說：「我就學你，他一問如何祖師西來大意，我就這麼：：：」師父又問：「他什麼表示？」他叩頭道謝，說他開悟了。俱胝和尚說：「那你悟沒悟？」「我不知道。」「好，我問你，如何祖師西來大意？」他就一指手指，他師父一刀就把這位小的手指砍去了，痛得他又嚎又叫。「你不要叫，來來來再來！」那小師父忍著痛，俱胝和尚又問：「如何祖師西來大意？」他就開悟了，也不痛了。

大家悟沒悟？悟到什麼？前面是有，後面是空，非空非有；非有，沒了，說空，空還說什麼？已經沒有了還說什麼空？我們慢慢參吧！我們在上面著墨，說了很多理由，這是沒有理由可講的。要是一講，就落到第二義、第三義去了，那就永遠耽誤了，悟不了。怎麼辦呢？就按著教義，按著經本上去看！那樣子很辛苦，又是讀誦又禮拜又懺悔。如果是真正有本事，一下子就豁然大悟，雖然悟了，還得從頭學起。悟了還沒有本事，還不是佛，這叫悟得的「理即佛」。

「於三乘中」，隨其所樂，「隨趣一乘，種種善根，皆得成熟」，過去所種的善根都成熟了。「隨於一乘，極善安住」，哪一乘都好，極善安住，就是他能夠斷惑證眞，安住於不動，再不受生死輪迴了。

「善男子！菩薩摩訶薩爲斷無量無數衆生生死流轉爲他說法，聲聞獨覺但爲自斷生死流轉爲他說法。菩薩摩訶薩爲令無量無數衆生度四瀑流爲他說法，聲聞獨覺但爲令己度四瀑流爲他說法。菩薩摩訶薩爲除無量無數衆生諸煩惱病爲他說法，聲聞獨覺但爲自除諸煩惱病爲他說法。菩薩摩訶薩爲斷衆生諸蘊煩惱習氣相續令盡無餘爲他說法，聲聞獨覺但爲自斷諸蘊煩惱習氣相續有餘不盡爲他說法。菩薩摩訶薩爲成大悲等流果故，大悲爲因，爲他說法，聲聞獨覺不爲大悲等流果故，無大悲因，爲他說法。菩薩摩訶薩於諸衆生有所顧念而爲說法，聲聞獨覺於諸衆生無所顧念而爲說法。菩薩摩訶薩爲息一切他衆生苦爲他說法，聲聞獨覺但爲自息己所有苦爲他說法。菩薩摩訶薩爲滿一切衆生法味爲他說法，聲聞獨覺但爲自滿己身法味爲他說法。菩薩摩訶薩爲諸衆生得勝法明爲他說法。聲聞獨覺但爲自己得勝法明爲他說法。」

我們經常講二乘人也托鉢食，人家請他說法，他也說法。但是他的目的，只是爲自己斷生死，把生死流轉停了。他說法，不是令衆生來斷生死的，這就是二乘人跟菩薩的差別。他所做的一切事是爲他自己，不是爲了度無量衆生，生死流轉的苦輪而來說法。菩薩摩訶薩是令一切無量無數的衆生度四瀑流爲他說法。

四瀑流，四種的生死根本，乃至最後的是無明瀑流。聲聞獨覺不是，他只是爲度自己的四瀑流。他給別的衆生說法，說法的目的，純爲自己，不是爲他人。

菩薩說法從來沒有想到自己，菩薩的一切事都是爲了度衆生。我們念〈普賢行願品〉，念〈淨行品〉，他遇見一件事情，他一想到佛法就想到衆生。但願衆生得成佛，每句都如是，一遇到什麼事都當願衆生，願他斷煩惱證菩提，都是願他衆生截生死流入一切智，都是這樣。聲聞獨覺就不然。

菩薩摩訶薩爲了去除無量無數衆生的諸煩惱病，爲他說法。菩薩說法的目的，爲了衆生都斷惑證眞，不再在生死中輪轉。「聲聞獨覺但爲自除諸煩惱病爲他說法」，菩薩是爲令衆生除煩惱病說法，不爲自己；獨覺聲聞是爲了自己除去煩惱病，爲他說法。「菩薩摩訶薩爲斷衆生諸蘊煩惱習氣相續令盡無餘爲他說法」，或者是雖然自己未成佛，他讓衆生都成佛。

地藏菩薩一直在菩薩位，但是他所度的衆生，有很多都成佛了。《地藏經》裡那些十方來的諸佛，就是地藏王菩薩度化的，教化成佛的。他自己還是菩薩，這是大菩薩的種性。不但令衆生斷煩惱，斷諸蘊，色、受、想、行、識五蘊的煩惱，還要斷習氣，不讓習氣相續，不讓煩惱相續，令他一切的煩惱都斷盡無餘，這樣的給一切衆生說法。

「菩薩摩訶薩爲成大悲等流果故」，大悲爲因，爲他說法。菩薩，他的大悲心是平等的，「流」是同類爲流，讓一切衆生跟他一樣，都成就圓滿的菩提。他是大悲心爲因，希望一切衆生都發大悲心，度一切衆生，給他說法。聲聞獨覺，他的說法不是爲大悲等流果故。他不是爲等流，等流就是讓一切衆生跟我都是平等，都成爲一類，「流」者一類。菩薩摩訶薩於諸衆生有所顧念而爲說法，「顧念」就是加庇加持攝受，用大悲慈悲喜捨攝受衆生。這樣攝受他，給他說法。

那麼「聲聞獨覺」呢？他爲了自己，他沒有大慈大悲心，沒有顧念，不像佛。釋迦牟尼佛成佛之後，遇到哪位大菩薩，都囑託他們，我如果涅槃之後，在我這個末法當中的弟子，一個別剩，都給我度了，讓他們離開生死。他對每位大菩薩都是這樣子囑託的，不論觀音、地藏、文殊、普賢，都是這樣囑託的。

同時，設了種種方便法，給你說緣念佛法僧三寶。聲聞緣覺，他沒有這種顧念。菩薩爲了息滅一切衆生的苦惱，息滅一切衆生的痛苦，給他說法，讓他得到清涼。聲聞獨覺，他是爲息滅自己所有的苦，他給別人說法，不是爲了別人，而是爲他自己，有所爲而爲，就是這樣子。爲誰呢？爲自己。

「菩薩摩訶薩爲滿一切衆生法味爲他說法」，我們吃東西都是要貪個口味，法有法味，法的味道。諸大菩薩教導我們都要使你能夠學法精進，歡喜愉快，你得到法味了，就得到清涼了。得到清涼了，就去除你的熱惱，就去除你的飢饉。一有法味了，我們就有法了，菩薩是這樣說法的。聲聞獨覺，他自己滿足於他自己的法味，不是爲衆生，是爲他自己滿足法味而給衆生說法。

「菩薩摩訶薩爲諸衆生得勝法明」，在法上，產生殊勝智慧的光明。明就是覺悟，覺者就是明的意思。三覺圓明，就是自覺、覺他、覺行圓滿。這三覺，我們現在只求自覺就好了，我們沒有明，力量不夠。菩薩給衆生說法的時候，令一切衆生都得到殊勝法，能夠產生智慧光明，是這樣給衆生說法。聲聞緣覺，但爲自己得勝法明，爲他說法。

「善男子！以要言之，菩薩摩訶薩無量律儀，普爲除滅一切眾生大無明闇，大怖畏事，一切衰損，得大光明及大名稱，如實覺悟一切智智，爲他說法；聲聞獨覺少分律儀，但爲滅除自無明闇，得小光明及小名稱，如實覺悟少分法智，爲他說法。善男子！聲聞獨覺，無有於他實懷顧念，無有於他實懷悲惻，無有於他實不輕弄，無有於他實為利益，無有於他實為拔濟，無有於他實行薦舉，無有於他實欲稱歎，無有於他實無諂曲而行讚美，無有於他不顧己身令彼安樂，無有於他不起誤失身語意業。善男子！住大乘者無有於己實懷顧念，廣說乃至無有於他發起誤失身語意業。」

一切智智就是指佛，唯佛才能稱一切智智。「以要言之」，就是扼要的說。總說菩薩摩訶薩所遵行的無量律儀，律是戒條，儀是四威儀，行、住、坐、臥四威儀，儀是律的方便。那麼他的一切法，一切的律儀，目的是除去一切衆生的無明黑闇，乃至使衆生永遠沒有恐怖。

人在黑闇當中，容易產生恐怖，在光明當中就不會產生恐怖。如果有了大智慧，不管任何事情都看得破，不會有恐怖感。如果看不破，沒得智慧，在黑闇當中走路還得摸索，前面是不是坑，你都不知道。走路就會生起恐怖，就有怖畏事，乃至於損減。那就是善業恐怕損減，惡業恐怕增長。

聞法的目的就是使自己能夠得大光明，乃至名稱好。我們社會上講，名是第二生命。你要是有好名稱，誰見了都恭敬，都讚歎，都隨喜；惡名遍布，你就行不通。如實覺悟一切智智，讓一切衆生都能覺悟成佛。這樣給他說法，菩薩是想讓一切衆生都成佛。那個黑闇、無明，讓它漸漸的衰損；智慧光明、名稱，讓它覺悟，究竟增長到成就一切智智。

聲聞獨覺的少分律儀，我們只知道菩薩的戒條，是十重四十八輕，《梵網經》說，這是菩薩律儀。比丘戒二百五十，八萬細行，意就有八萬，根本戒就有二百五。如果認爲菩薩戒很少，比丘聲聞緣覺戒條很多，這樣理解是錯誤的。

《梵網經》一條戒，就包著無量無數的戒。除了止，還有作。比丘在律儀方面有很多是作持，應該作的事情。所以要知道菩薩律儀，他們一發了菩提心，就受三聚淨戒，攝律儀戒，所有律儀都包括了。只要佛所說的，不許可做的事都叫律。攝善法戒，佛要做的，應當叫你做的你都要做。利益眾生的事業，一切善法你都要去做；不論十善法，乃至三皈五戒，乃至聲聞法，你都要去做，一切法只要是善法都要做。最難做的是饒益有情戒，讓一切眾生得到利益。聲聞緣覺不是這樣子，單爲自己，滅除自己的無明闇，滅除自己的無明，得小光明。因爲他心量不大，所以得到的利益很小。

「小名稱」，名稱不大。大菩薩三千大千世界，他方國度，像文殊師利、地藏菩薩、觀世音菩薩，無量世界都知道，這叫「大名稱」，不是我們世間這個名稱，世間這個名稱是很小的。「如實覺悟少分法智」，他不是一切智智，而是一切智。少分法呢？苦集滅道十二因緣，這個法的智慧他有了，他是這樣的來給眾生說法的。

「善男子！聲聞獨覺無有於他實懷顧念」，聲聞獨覺，他沒有關心眾生，只關心自己。「無有於他實懷悲惻」，惻隱之心人皆有之，那是大悲心。聲聞，他對待眾生，只爲了自己的生死，不關懷眾生。「無有於他實不輕弄，無有於他實爲利益」，爲於他實不輕弄，菩薩是不惱害眾生的。羅漢不然，就心理上說，他對眾生不如實說法。不如實的培育他人，而是如實培育自己，一切修法功德專爲自己迴向，而不迴向他人。我們有好多的道友，念完經，或者拜完懺，他只迴向他自己，讓他迴向法界眾生，他說：「等我自己度完了之後再說吧！」

我遇見很多這樣的人，我都迴向他們，我又得到什麼呢？辛辛苦苦的念，辛辛苦苦的拜，我都迴向給他們。不能夠這麼迴向，就是小乘心。但是他也知道迴向，迴向自己的未來，這對別人有什麼利益呢？沒有！他也知道，好比人家供養他飲食，乞食，他也給人家迴向，那是佛教導的，不迴向是不行的。他也要問，你供養我飲食，你有什麼要求，你想做什麼？你一說出來，他就給你說法，他就給你迴向，這是羅漢。菩薩就不是這樣的，菩薩受了你的供養，他一直的迴向，直到你成佛，不以得少爲足的。

「無有於他實行薦舉，無有於他實欲稱歎，無有於他實無諂曲而行讚美」，這是聲聞不做的。「無有於他不顧己身令彼安樂」，我們經常說，不爲自己求安樂，但願衆生得離苦，這是大菩薩，願無虛發。還有普賢的十大願王迴向衆生，願代一切衆生受苦。就是他坐監獄了，「我去坐，你出來！」你害病了，「我替你害，你得健康。」那些大菩薩他確實做得到的。

我們有好多道友發了這個願，後來就引火燒身，你發願替他害病，你就害，他就好了。害的時候，你可別抱怨，這回我行菩薩道成功了，行菩薩道成就了。不然，你想代，恐怕還代不到。

大家都知道宣化上人，他是東北人，十七歲的時候他母親死了，就在他母親墳墓守孝三年，那時候，東北大雪好冷，在我們年輕的時候零下二三十度。他是五常縣的人，在哈爾濱北部，很冷，他在那墓守著，有很多的感應。所以在哈爾濱一帶，好多縣份都知道他叫白善人。到了四六、七年，在東北才入了佛法。

這就是爲他人，雖然是爲他自己的母親，自己的母親也是他人，而自己不顧自己的身體，令別人安樂，這就是菩薩。什麼事不爲自己著想，我有什麼好事都讓給眾生，不論是誰；特別是我的仇人，我就讓給他，他以後就不給你結仇，你跟他的冤業在這兒就消失了。不管他接受不接受，你跟他的冤業已經消失了，這叫行菩薩道。

「無有於他不起誤失身語意業」，身口意要讓別人歡喜，讓別人快樂，身口意絕不傷害他別人，不起不犯這個錯誤。眞正是大乘的菩薩，對自己從來不會照顧自己，盡是照顧他人，自己身語意業，對自己可以有誤失，對眾生絕不能有誤失。我們在這點上犯的很多，特別是對最親近的人，犯的特別多。對自己最親的人，夫婦最容易犯，對待子女更容易犯，「你是我養的，你是我兒子，你是我女兒，你不聽我的，聽誰的？」這就對衆生誤失身語業。打、罵，更不可以。

「復次善男子！有諸衆生稟性暴惡，言辭麤獷，實是愚癡，懷聰明慢，不斷殺生，乃至邪見，於他所得利養恭敬，世所稱譽，深生嫉妒，常自追求利養恭敬，世所稱譽，曾無厭倦，恆自讚譽，輕毀於他，不自防護身語意業，常樂習行一切惡行，內行矬毒，無有悲愍，無慚無愧，憙觸惱他，於諸福田，好簡勝劣，於歸我法諸出家人，常樂伺求所有瑕隙，纔得少相，未審眞虛，即便輕毀呵罵謫罰，其心剛強，很戾迷亂，常憙觸惱諸出家人，不省己過，念譏他闕，雖聞讚歎大乘功德，發意趣求，而心好爲諸重惡事，曾未寂靜，誑惑他故，於大乘法，現自聽聞，教他聽聞，現自讀誦，教他讀誦，爲自薦舉，陵伏他故，於大乘法恭敬讚美，自於大乘諸行境界，不曾

修學，未能悟解，而自稱號我是大乘，誘勸他人，附己修學，規求名利以自活命。」

邪見就是愚癡，就是無明，都用邪見代替了。「復次」，佛又繼續說，有的衆生生性粗暴，惡性不改，很粗暴，言語無狀，經常要動手打人；罵不過人，或者別人反彈罵他，那就不受。他罵人，別人要是反罵他，他會動手打人。

「於他所得利養恭敬，世所稱譽，深生嫉妒」。這就是沒有智慧的表現，他有嫉妒心，也很聰明；聰明慢，就是由從此而來的。看別人得到一點好處，或者得到好名聲，或者得到供養、做生意得了利，他就想方法破壞。如果是同行的，那就是冤家。

「常自追求利養恭敬」，他所求的就是名聞利養。「世所稱譽，曾無厭倦」。這個事，他精進得很。雖然別人不讚譽，他自己也來讚譽自己，讚自毀他。對自己的身口意，他不防護，看人家的身口意，說人家話沒說對，身體作的不對，就對別人的身口意常時糾正，對自己的身口意他不防護。

這些人他所希望的、所行習的是什麼呢？一切惡行，盡作惡，不作善事。內心磣毒，這個「磣」是什麼意思呢？就是醜惡混亂，這是毒。什麼毒呢？就是惡行之毒，一點悲愍人的心也沒有，愍是次一點，就是憐愍別人。悲是大悲，就大一些。我們經常這樣形容人，惻隱之心人皆有之，這句話不盡然，有些人他暴行粗暴慣了，從來沒有惻隱之心。不但對外人，對他自己妻女、子女，都這樣，無慚無愧。他那個心裡頭，他喜歡什麼呢？惹別人生煩惱，盡要人家受苦惱，要是有點好事，要作福德事，他就揀別。有很多人這樣，拿別人的錢去做好事，功德他是沒有的，他認為自己佔了便宜，其實他是做罪。在大陸上叫善蟲子，專門吃和尚，吃居士的，這種人叫善蟲子，叫寄生蟲，善事上的寄生蟲；拿別人的利益，當做他自己的利益。

有一個人標榜自己是孝子，他母親生病了，他要割肉療養他母親。不過，他不割他自己的肉，他在廁所等著，人家解手的時候，他一刀就把人砍了，人家不叫喊嗎？他說：「你別喊，割肉侍親就是最大的孝，你怎麼還叫喊呢？」大家聽聽這個是什麼涵義呀？雖然這是笑話，但確有其人。在一切福田上，他就揀別哪個好的，我該去做，那個不好的，我該不做。這個福德已經減輕了，這個善根很小，那個善根很大，大的我該做，小的我不能去做。

劉備托孤的時候，告訴劉禪，要記住兩句話，「勿以惡小而爲之」，別看這件事是一點點小的，雖然是壞事，很小，不會有什麼影響，你也不要做。「勿以善小而不爲」，不要因爲這個善是很小的，就不去做，你要是做了，生起的功德就大了。一樣的施捨人家一點兒錢，一塊錢，一毛錢，你一個慈悲心，恭敬心，親手遞給他，功德無量。如果是國王，如果是大臣，布施這個窮苦的，討口的，親手安慰；不論錢的多少，他的功德勝於供養恆河沙諸佛，《地藏經》是這樣說的。

於我法的出家人，常樂伺求所有的瑕隙。他不做別的，就追求伺求，看著出家人的過，他得到一點兒，「纔得少相」，他沒有審查是真的是假的，他就「輕毀訶罵謫罰」，這就錯了，這是大惡。這種人還不聽人勸說，其心剛強，難調難伏。「很戾迷亂」，凶狠凶狠，心是很迷亂的。所以他的目的就是「常喜觸惱諸出家人」。看這和尚出家人煩惱，他高興，他的目的就是常想找出家人的過，使你煩惱，使你修行不成，這就是魔鬼。魔王波旬的子女來到這兒惱亂出家人，完了他還要出家，穿了出家衣服，他就是不做佛事，他更進一步的破壞。

這類人很多，當善蟲子當不成了，就到了裡頭，吃裡扒外。到了佛教來破壞佛教，毀滅佛教，永遠不想自己的錯誤，總是譏毀別人，毀謗他人，找人家的缺點。聽到讚歎了大乘的功德，他也知道這是好事，人家一聽到讚歎大乘功德，他也發心要想去求大乘，想去求。但是他心裡頭所好的，殺盜淫妄，他從來沒有停止做惡過，沒有寂靜過，靜不下來，散亂得很。爲什麼？業使他迷亂了。業障！業障！這叫眞正的業障。你看那些人，業障很重，可不能勸他，你要是勸他，他就跟你發脾氣，使你觸惱。所以釋迦牟尼佛跟閻羅王說，這個娑婆世界衆生，剛強難調難伏，習氣深重得很。做重大的惡事，從來沒寂靜過，欺騙誑惑別人，盡作假相。

「於大乘法現自聽聞」，於大乘法，他自己聽聞了，也想教別人聽聞。「現自讀誦，教他讀誦。爲自薦舉，陵伏他故。於大乘法恭敬讚美。自於大乘法諸行境界，不曾修學，未能悟解，而自稱號我是大乘，誘勸他人。」引誘勸他人，附己學習。前兩句，你聽的是好的。後面就不是，別有用心，那個心用的不對。他說：「我聽聞了，這部經很好，你跟我去聽。我現讀誦某經，你有讀誦嗎？推薦指引你，但是你得聽我的。」

這就是欺負人家。

陵伏他故，爲了降伏別人。對大乘法，讚美恭敬，這是假相，假的讚美恭敬。他對於大乘法的那些行爲、境界相，從來不修學，學也學不進，更談不上悟解。怎麼能明白呢？但是他自己可會吹噓，我是大乘學者，我是大乘人，勸別人都跟我一塊兒學，聽我的。其實是假這個來「規求名利」，目的是想求名求利，以自活命，這就叫邪命自活。大乘法是他的幌子，在這個幌子底下，他就追求名利。一個人不行，還得拉一班謗黨，朋黨結私。

「譬如破戒惡持律師，自犯尸羅，樂行惡行，爲名利故，誘勸他人，令勤修學毗奈耶藏。如是諂曲，虛詐眾生，下賤人身尚當難得，退失善趣二乘涅槃，況得大乘，終無是處，當墮惡趣，難有出期。諸有智人，不應親近，而無慚愧，於大眾中，自號大乘，如師子吼，爲名利故，誘誑愚癡，令親附己，共爲朋黨。譬如有驢，披師子皮，而便自謂以爲師子，有人遙見，謂眞師子，及至鳴已，皆識是驢，咸共唾言，此非師子，是食不淨，眞弊惡驢，種種呵叱，皆共捨去，我說如是補特伽羅常樂習行十惡業道，燒滅一切人天種子，尚退聲聞獨覺乘法，況於大乘能成法器，愚癡憍慢，自號大乘，誑惑他人，招集利養。」

「譬如破戒惡持律師」，律師是假的，但是他破戒了，惡持就是持惡，持惡法不行戒法，這樣子律師自己犯了戒，犯了尸羅。「樂行惡行」，爲了名利，還誘勸他人，「令勤修毗奈耶藏」，勸他勤修戒律。表示我是一個學戒的，勸人家都要學戒持律，自己卻是犯尸羅的。完了，諂曲不實。「如是諂曲虛詐衆生」，虛而不實，詐騙衆生，像這樣的「下賤人身尚當難得」。想得個下賤人身，一失了人身，再想得個下賤人身很難。古人說：「地獄門前僧道多」，涵義就在此。他不是眞正的僧人，也不是眞正的修道者。

爲什麼呢？他拿這個作名利，作欺騙的幌子。佛把末法看得清清楚楚，在正法的時候，成道者多；但是末法，成道的你看不見。這樣的人，你眼睛不睜開就看不見，睜開你就看見了。但是對於我們自己來說，看見了就當沒看見，要忍受，把他當聖僧看，你照樣得到福德，得到聖僧的福德。你把聖僧當成凡夫僧看，當成破戒比丘，你什麼也得不到，縱是聖僧，你也得不到。所以就像濟顚那樣，遇見這個破戒的和尙，你什麼也得不到，因爲你沒有那個心。

所以這樣的人，終究要墮惡趣。「難有出期」，下賤人身得不到。爲什麼呢？下地獄去了，再來做人的時候，就得個下賤人身，肢節不全。或者是得個喪心病狂，或者六根不具。「諸有智人不應親近」，有智慧的人不應該親近這些人，這些人是無慚愧的。他在大衆裡頭「自號大乘」，像「師子吼」一樣的，其實只爲名利。「誘誑愚癡，令親附己」，令人家跟他一樣親近他，以他爲朋黨，他要作頭。

他自己沒有修行，也沒有理解，沒有智慧，就是爲了名聞利養，使人家親附於他，他的目的就達到了。佛說個比方，這類人就像畜生的驢子，驢子什麼技術都沒有，過去說黔驢之技，黔者是指貴州省，有人在別的地方，買了一隻毛驢運回來了。貴州的老虎沒看見過這隻驢子，龐然大物的，老虎就害怕，不敢去惹他。久了，牠看也沒有什麼特殊的，沒有什麼本事，就試試毛驢，老虎就拿尾巴撩取牠。那毛驢拿蹄子就踢一下，老虎一看說，技至此爾，你的本事就這麼大，老虎就把驢子吃掉了。

這個不同，這個無有慚愧，又不肯學，認爲自己是學大乘法的，乃至給人解說，認爲自己也是師子吼，跟佛一樣也師子吼，但他有一個缺點，就是爲名利，不爲名利，他也不會這麼做。如果爲名利，那就是錯誤的。引誘別人，他引進來的那些人都跟他差不多，都是愚癡，甚至比他更愚癡。「共為朋黨」，就像現在結成一幫派的朋黨，跟那驢子有什麼差別呢？自以為是眞師子，沒有眞師子的本事，等到他一叫喊，及至鳴已，驢子吼跟師子吼，兩個差太遠了。

「此非師子，是食不淨」。「食不淨」可以有兩種解釋，我們按佛教解釋，他所做的都是不清淨的，不是清淨的行門；那是裝扮的，是假的，是醜惡的驢子。大家認識了牠之後就呵叱牠，不跟牠他作朋黨，捨牠而去。

「我說如是補特伽羅常樂習行十惡業道」，佛說這種衆生，他過去的習染很深，他所做的事情都是十惡道的事情，他喜歡做十惡道的業，口裡喜歡說妄言綺語惡口兩舌，心裡想的是貪瞋癡，身體所做的是殺盜淫，這就是十惡業。把一切做人的種子，乃至生天的種子都燒毀了。人天亦不可能做，還能有什麼聲聞緣覺法呢？或者是他過去生，學的有緣覺，學的有聲聞法也都退失了，什麼都沒有。於大乘，他不是成大乘的法器。

他自說大乘，就證明他不是大乘，他所有的就是「愚癡憍慢」，自己僞裝的。現在不論是四衆弟子，總認爲自己學的，不論顯法密法，認爲很了不得，可是並沒有眞修。從現象上看似乎好像是修，現在當然都是大乘，都是自號大乘，現在不論那一位都是圓融的，沒有誰說我是修苦集滅道的，很少。

現在另外有一個原因，他一出了家之後，就脫離教義；一入寺廟，他所接近的師父，特別是大陸上禪宗的寺廟，或者淨土宗的寺廟，連大乘都不承認。其實這是因爲各個祖師過去這樣說，他們也是學了又說的，說念一句阿彌陀佛，豎窮三界，橫蓋八教，什麼都具足了，念一句阿彌陀佛就好了。

剛出家、剛發意的這些菩薩，他什麼都不知道，只知道念一句阿彌陀佛，那樣就很憍傲了。我念一句阿彌陀佛，跟你學好多年《華嚴經》有什麼用處？學《法華經》，沒有必要。我念一句阿彌陀佛都有了，但是《彌陀經》不是這樣說的，《無量壽經》也不是這樣說的。所以他既不學教，也不深入；眞正要念到一心不亂，阿彌陀佛的功德確實是不可思議的，可是做不到。

另外有很多坐禪坐的人，什麼也不知道，很憍傲，脾氣很大。因爲他沒有修，沒有入定，就隨著個性的發展。不學習教義，有這種缺陷，他既不認識自己，也不認識別人，更不知道佛所教導我們、教授我們的是怎麼一回事。佛所指責的，就是這種愚癡慢。自己號大乘，認爲了不得，而且還誑惑別人，他的目的是招集利養。

「譬如癡慢無手足人，欲興戰伐入於大陣，徒設功效，終無剋成，詐號大乘亦復如是，信手戒足無有一全，不自崖揆所堪行業，欲興戰伐煩惱大陣，徒設功效，終無剋成。我說是人不護三業，專行惡行，妄號大乘，實於三乘皆非法器，而欲破壞一切眾生勇健堅牢煩惱大陣，欲皆顯示一切眾生八支聖道，令入無畏涅槃之城，終無是處。所以者何？善男子！夫大乘者，受持第一清淨律儀，修行第一微妙善行，具足第一堅固慚愧，深見深畏後世苦果，遠離所有一切惡法，常樂修行一切善法，慈悲常遍一切有情，恆普為作利益安樂，救濟度脫一切有情所有厄難生死眾苦，不顧自身所有安樂，唯求安樂一切有情，如是名為住大乘者。」

譬如有一個人手腳都沒有了，他還要去參加戰陣，要去打仗。「欲興戰伐入於大陣」，這有可能嗎？什麼本事都沒有，空空的，什麼功效都沒有，這能成就嗎？「終無剋成」，你不可能戰勝敵人，只有被敵人消滅了。就像自己不學無術，連最淺的見思惑煩惱都不能斷，怎麼能去利益一切衆生呢？這就是詐號大乘。

現在學佛的人，跟誰作戰呢？自己跟自己作戰，你要跟你的煩惱，跟你的習氣作戰。先由我們色聲香味觸，財色名食睡，這個五欲境界，你克服不了，人家罵你兩句，你火冒三丈，這是很小很小的，你都對治不了，怎麼能夠利益一切衆生。乃至把我見擺到第一位，什麼都為我著想，那麼，你怎麼能了生死。說是大乘，連了生死都不可能。你想斷煩惱能夠清淨一點，連個很粗淺的，你都得不到。很浮燥，很燥動，很暴燥；一天就在散亂當中，這個大乘誰會信？誰也不會信。

「信手戒足無有一全」，信心就比喻手，持戒就比喻腳，那麼你沒得信心，又不持清淨戒，就是無手無腳。沒有信心又沒有戒行，一樣你都不具足。「不自崖揆」，因為自不量力，自己忖度自己，你有什麼功德，你有什麼德行？不自量力，你對於自己所堪的行業，你對於學的這行，或者聲聞乘，或者是緣覺乘，你能不能做得到？人家說「聰明不過衲子」，衲子，就是指出家人說的，你不要看出家人沒做什麼事，他學什麼會什麼，非常聰明。世智辨聰，一學就會。如果他有點兒定力加持他，無論學什麼，他會的很快。如果連這點智慧都沒有，你幹什麼事都不會，隨便作點什麼事，笨手笨腳的。

清代的玉琳國師在拈花寺，就是我受戒的寺廟，他在那廟裡當方丈，皇帝到廟裡來拜訪他，他留皇上在那兒吃齋。可是吃齋的齋房窗戶紙破了，風吹的呼呼的響，玉琳國師就把碗裡的飯粒挾到桌上，這個小沙彌就過去把這個飯粒拿出來，弄張紙就把那個洞沾上了。乾隆很歎息，眞不得了，「聰明不過衲子」。玉琳國師就讚歎皇帝，「伶俐不過帝王」。

這雖然是個故事，你看小和尚，有好多我們想不到事，他爲你做的很好的，這叫外表的聰明。另外，要有眞智慧，有的和尚表現蠢笨得要死，相貌長得很醜陋，有很多和尚是異相，你看他很醜，就像道安禪師的。在晉朝時候，他小時候十幾歲就進廟，他師父看不起他，又醜又矮又痲，不但黑，臉上一臉痲子，個子又矮，大衆的師兄廟裡的人都看不起他。他只跟著種地，去了很久。有一天他跟他師父說：「師父也該給我一本經念一念。」「你要念經，好。」順手拿一本很薄的經書給他。到田地裡還得幹活的，大概在幹活休息的時候，就停一下拿著念一念。晚上回來跟他師父說：「師父你給我換一本。」「你看了沒有？」他說：「我看了，我都看完了。」他師父也懶得跟他說，又拿一本個厚的，比之前多了三倍，他又拿去了。第二天晚上，他回來了，又跟師父說：「你再給我換一本。」他師父覺得很奇怪：「你爲什麼一直換？」他就說：「我都讀了。」他師父就拿那個經本在後邊問他，隨便問那段經文，他都倒背如流，他師父才發現他的奇特之處。道安法師是中國最早最有成就的一位大德。

人不可以貌相，但是他確實有這種本事。他不但信心堅定，戒行也清淨，都是眞材實料，但是自己很謙虛。凡是眞正有德行的人，都很謙虛，他不認爲自己很了不得，絕不會的。因爲距離佛還遠得很，連佛都很謙虛。佛是以一切衆生爲師，大家看到〈普賢行願品〉，若沒有衆生，一個佛也成不了，要報衆生的恩，所以要度衆生。如果沒有這種本事，自己連手腳都沒有還想打仗？你還沒有發起信心，對三寶還沒有信敬的心，戒也不持，這樣你還說大乘？小乘都沒有，人天乘也保不到。

這種人，不愛護自己的身口意，隨便身口意放逸，放逸就是專行惡行，專做壞事。他自己還虛妄的稱說大乘。學大乘法，聲聞緣覺乘三乘皆非法器。他不是一個學法的人，但是他要破壞別人學法。他結的朋黨，能幫助他，他的道友，他的弟子，他能給他們去除煩惱嗎？衆生的煩惱，就像擺一個軍陣那樣子，那個煩惱堅固勇猛的，就像大陣似的，你要到這裡頭作戰的時候，你雖然沒有完全失敗了，你也是在煩惱堆裡頭。

這段經文的意思就是這個涵義，佛說這段話是比方的話。說有些人，妄自稱大乘，自己連苦集滅道都沒有斷，都沒有修，世間因果都沒有修，一天就在做惡行，就是集，集就是召感，召感的苦果，他根本沒有修持二乘道、出世之道。不但沒修，信心也不具足。

有了信心，他不敢做罪，隨時會防護他的意念，他不敢起壞念頭，他還敢做事實嗎？他看見眼前的利益絕不對貪的，因爲知道貪了那是不好受的，你消不了災。他連這個心都沒有，八聖道、七菩提都沒有，想入涅槃城是不可能的。終無是處，無論到什麼時候，都不可能做到。

眞正是大乘的法器，他行持清淨律儀，就說菩薩比丘，不只比丘戒清淨，菩薩戒也清淨。或者受比丘戒的比丘，二百五十戒是清淨了，受菩薩戒的不容易，因爲十重四十八輕，是梵網戒。梵網戒，他要求的很深，很廣。梵網戒是什麼地位菩薩受持呢？是登地菩薩，從歡喜地，到法雲地。說戒的時候不是釋迦牟尼佛說的，是盧舍那佛說的，是報身佛說的。盧舍那佛說這個戒的時候，是給一千尊釋迦牟尼佛說的，大化身就是盧舍那佛，坐的是個一百葉一千葉的蓮花座，一個座一個葉，一個葉一尊釋迦牟尼佛，他有百億國土，百億小化的釋迦牟尼佛，這是大化。那麼，毘盧遮那佛說梵網戒給千釋迦說的，千釋迦每一釋迦他所屬他所化的，就是千百億釋迦，有百億一百億的釋迦佛。那麼他又給百億釋迦佛說梵網戒，這百億釋迦佛又到他化的國土，像我們閻浮提釋迦牟尼佛在這兒說梵網戒。

所以持梵網戒的，能夠持十重四十八輕。見了法性的，心念跟你自己本身的法身、法性相合的；有一分相合的，才能持到戒。三賢位都不敢說持清淨，特別是在利益眾生，度眾生方面。方便善巧慧，沒有具足，那就不敢說是受持的清淨戒。這個說受持，不但持清淨，而且第一，比一般的受持的都是超出的。不但是信位，而是住位、行位、迴向位、登地了，到了這樣才能受持清淨戒。他所作的一切善行是微妙的，那麼持清淨戒就是三聚淨戒的攝律儀戒。

微妙法，就是攝善法戒。佛說的一切法，不只佛說的一切法，世間的一切法，他都是第一。要工、巧、明，菩薩有工巧明。

像西藏喇嘛手巧得很，每逢宗喀巴大師的忌日，那喇嘛所做的壇城，是拿酥油做，完了上頭染色，你看西藏掛的唐卡都是喇嘛自己做的。一兩百年的唐卡，染色不會變的。紅的是磨那個紅寶石，跟那紅珊瑚配起的，都是礦物質的，所以染色不會變。不像我們現在的顏色，被風一吹就變了。

持清淨戒學微妙法，很不容易。微妙善行，爲什麼不容易呢？要使這個衆生能夠得度，機緣成熟時，要度化他，有時候示現逆行來度他，像殺盜淫，這是逆行，要做逆行來度他。沒有智慧沒有證到，你觀不了他的機，你拿不穩。你要是還這樣做，就犯了戒，這叫微妙。

如果說菩薩不能喝酒，更不能賣酒，賣酒的比那個喝酒的罪惡很大的。有時候菩薩爲利益衆生，他就喝酒。濟公總喝酒瘋顚，以酒度人，他喝酒來度人，我們就做不到，這叫菩薩微妙行，他這樣做是持清淨戒的。

「具足第一堅固慚愧」，堅固慚愧是不容易。有兩種清淨，一種是堅固不犯，堅定不犯，這就清淨的，根本清淨。另一種，犯了就懺，隨犯隨懺，就是不護自己短，隨時發露，具足慚愧心，感覺自己沒智慧，沒有德，過去沒有修，總感覺自己要向眾生懺悔，向諸佛懺悔。要是做壞事，他見到的苦果是非常可怕，墮地獄苦。「深見」，他見的很深，見到好多劫的事情。「深畏」，看見眾生在那個地獄裡頭受苦難，他自己不敢做壞事。

「遠離所有一切惡法」，一點點的小惡，他也離開不去做，而且距離得很遠。「常樂修行一切善法」，這就是攝善法戒，這裡頭就具足了佛所說的菩薩三聚淨戒。攝律儀戒就是清淨律儀，饒益有情戒就是用微妙法，來度脫一切眾生，深畏後世的苦果。饒益有情是常樂修行一切善法，慈悲常遍一切有情。慈悲是平等大悲，心裡沒有差別念。我們的差別心很多，這個人很聰明，就願意多教化；那個人很愚癡，就不想教他，他太笨，教一百遍他還是不會，而且還很囉嗦，你或者就厭煩了，這就不是菩薩了。菩薩第一個就有愛心，非常的慈悲，有大悲，大悲的涵義很多，有慈、有義、有體、有相，那才叫眞正的大悲。

「慈悲常遍一切有情，恆普爲作利益安樂」，讓一切衆生都得到安樂，都得到快樂。救濟度脫一切有情所有的厄難生死衆生，去除衆生的一切苦。當衆生受苦受難的時候，這個時候最好度。你說，他肯信，那麼到監獄說法，到醫院跟臨床的病人說法，他在痛苦折磨的時候，你要他念觀世音菩薩，他肯念；念地藏菩薩，他那時候正很苦，他試驗也要試驗一下。但是這裡頭有個危險，你不能考慮自己的安樂，你一考慮自己的安樂，你就度不成他。有時候你去那個地方很危險，到病人那裡，可能把病帶回來，你要替他受苦，你就眞得替，這不是說假的。如果你的願很眞，你確實能替得了他，但是要到你的身上，你可別懊悔。

我們不說大的，在紐約好多助念團體，誰往生，他就去參加。當然這裡頭有的是佛弟子，有的不是佛弟子；或者是他本人是佛弟子，他的親屬要死了，請來助念團，助念團也發了這個願。去了，往往就把那個人的冤業帶回來了。本來要找那個人算賬的鬼，就來找他算賬的。他回來就發高燒，或者怎麼了。因爲他並不是天天自己念，也不是怎麼修行，沒有力量抵抗。所以你參加助念行菩薩道，得先考慮考慮你的力量如何。二乘人爲什麼不敢做？他曉得自己的力量不夠，不敢發大心。我們好多道友是慈濟的道友，就去布施，你不要嫌人家髒，或者那地點又很不好，不清潔，你到那兒去了，就得行菩薩道。

《地藏經》第十品，地藏菩薩請示佛，爲什麼在這個世界上布施的福德差別那麼大呢？佛就說，你是用什麼心去布施的？當你行布施的時候，你是什麼心態？你用什麼態度？這跟心態、作風、說話都有關係。當然你給那個人東西了，那個人打心裡頭歡喜，心裡也得到救度。有時你給了人東西，對方很不高興，因爲你瞧不起他人。到了討口的時候，他還是有自尊心。你要很尊敬他，把東西供給他在手上，完了，還說幾句安慰他的話。如果是佛教徒，你再說幾句佛法給他，那更好。

所以在衆生有苦難的時候，你不要顧慮自己的安樂。菩薩發的願就是「不爲自己求安樂，但願衆生得離苦」，這個涵義就是這樣。「唯求安樂一切有情，如是名爲住大乘者」，這是眞正的住大乘，眞正的菩薩。

「善男子！有何等相名聲聞乘？謂諸衆生常勤精進，安住正念樂等引定，離諸諂誑，信知業果，不著五欲，世間八法所不能染，修善勇猛，如救頭然，常審諦觀諸蘊界處，恆樂安住所有聖種。具此相者，名聲聞乘，如是衆生尚未能成獨覺乘器，況復能成大乘法器。善男子！有何等相名獨覺乘，謂諸衆生具上聲聞一切功德，復能於彼五取蘊中，數數安住隨無常觀，數數安住隨生滅觀，普於一切緣

生法中，能審諦觀皆是滅法，具此相者，名獨覺乘，如是眾生非大乘器。」

什麼叫聲聞法？什麼叫住聲聞乘呢？這個聲聞乘是說學小乘道的，學阿羅漢果的。他的心量不大，但是他有正念，他有正樂，他有定力，能夠從定力引發出來快樂。對各種定平等引發出來的快樂，他沒有諂曲心，沒有欺誑心。他知道善惡業果，信得很懇切。有的時候聽起來好像是笑話，事實上是確實是這樣的。

在紐約，我們有位道友，他看到路邊上有二十塊美金，不曉得是誰掉的，他就想：「我撿起來，這不犯偷盜罪！」他就想撿，撿完了之後想：「這二十塊我怎麼安排？萬一犯了錯誤呢？」他就沒有撿，就過去了。後面那個人也看到了，後面那個人以為他沒看見，其實他看見了，只是沒撿。後面來的人就撿起來，這道友又感覺到失掉了，就回頭說：

「那是我掉的。」

後來他來跟我懺悔。他說：「師父！我說我掉的，就是錯誤的。我就是想訛過來。」撿又不撿，信心不堅定，要真正一切無所顧慮了，走路的時候什麼都不看，有利益沒利益都不看。他就說了：「後來就想了幾種，我撿起來拿它給個窮人，不很好嗎？我又做了功德。」我說：「沒什麼功德，那是丟的人的功德。」

遇到境界的時候，你就知道是不是虛假的，那信心是不是眞的？你要能信了善惡果報，對於財色名食睡，你不會貪戀的。大家早上起床的時候，爬不起來，還想睡一下，起碼要賴一下，五分鐘也好，不是一醒了馬上就起來。從來沒感覺自己睡覺睡很多，總感覺睡覺睡的不夠，這就是欲望。吃的時候，瞅著那東西儘著吃，不好吃的看都不愛看，這都是五欲。

女道友也是愛逛街的，我們去香港，有幾個女道友同行，就愛逛街。

一逛逛了一天，回來總是提一包一包的，看了就想買，逛街本身就是貪心。眼根，引起你的意識貪戀，百貨公司都搬到你家，還是滿足不了的。因爲再過一年兩年，物質衣服都變了，你以前搬進來的都不對了。開百貨公司的，都不能存貨，存了貨就賠錢。因此五欲境界不是那麼容易的。

我們若認爲信心很好，信佛很誠懇，到了欲境現前的時候，你捉摸不定，能不能不著五欲境界呢？我們拜懺時天天念的世間八法，你的妄心不爲所動，而世間八法，稱譏苦樂愛憎毀譽，四個好的，四個壞的。稱讚你，譏諷你，毀謗你。

蘇東坡以前在他的案頭上寫著「八風吹不動」，佛印禪師到那兒看，給他寫個「放屁」二字，他回來就冒火。他的府衙住在杭州的西湖的這邊，淨慈寺在西湖的另一邊。蘇東坡放不下，就坐船到江外，找佛印禪師去了，到了那兒跟佛印禪師吵架。蘇東坡問：「八風吹不動，你爲什麼寫個放屁？」佛印禪師：「是嗎？」蘇東坡：「怎麼不是，你還賴得掉嗎？」佛印禪師就說：「是倒是，你八風都吹不動，我放個屁就把你打過江來。」蘇東坡就沒話可說了。八風吹不動，放個屁還是假的，還不是眞的，只是文字上的，要是眞的，你該怎麼辦呢？有些人自己認爲道力好像很深，八風都吹不動。不用八風，隨便罵你一句，你馬上就火了。

「常審諦觀」，常時審思察考，對照一下。諸蘊界處，拿什麼對照呢？五蘊、十八界、十二處，當識與色的時候，有入聲的時候，你應當對照一下。好的聲音，或者罵你的音聲，或你不喜歡聽的音聲。例如我們坐禪打坐的時候，汽車的聲音，你會厭煩的。坐禪是找寂靜處，你沒有這種定力，你會覺得聲音吵鬧。住鬧市總想住到山林裡去；山林也不清淨，山林的聲音很多，獸叫的聲音。你在山林住洞的時候，你連長蟲叫的聲音，蟋蟀叫的聲音，各種蟲子叫的聲音，你會都聽到。特別是夏天的蟬，你感覺吵死了，簡直坐不下去。這是你的心不安，你在那兒也躲不了，那個風聲，風吹那樹響，特別是冬季，吹那個乾樹葉子乾枝子，嘩、嘩、嘩的，要是夜間聽見，你以爲鬼來了，如果你對一切聲音都不執著，聲音不會干擾你的。

有副對聯，「風聲雨聲鐘磬聲，聲聲自在。」不到那個境界的時候，你在廟裡也煩。一天的敲鐘，那個大廟就有幽冥鐘，晝夜二十四小時都要打。以前在顯宗寺裡頭有一個老和尚，他負責打鐘，打了四十年，他就在那個鐘旁邊搭了一個鋪，就睡在那兒。黑夜白天他都在那裡睡覺、打鐘。我問：「你一天能睡好多？」他說：「我都在睡覺。」我又問：「那個鐘呢？」他說：「鐘也在打！」他成了習慣了。他那兒睡了覺，他那個鐘也是「噹！」，他知道隨那個鐘聲，等那個聲音停了，他又拉一下，聲音一停了他又拉一下，叫幽冥鐘。

「恆樂安住所有聖種」，離開了蘊界處，安住聖種，知道是無常的，知道一切法都是苦的，空的。這個空是二乘空，法不空，我空，這叫聖種。聖種是指什麼說的呢？「具此相者名聲聞乘」，有人說自號大乘輕視小乘，那是聲聞乘法，我不需要學，你連聲聞乘的影子都還沒有得到呢？到了這個境界，只是羅漢境界，聲聞乘比獨覺乘又差一點。而「尚未能成獨覺乘器」，只能是聲聞乘的法器，不是獨覺乘的法器。連獨覺乘法器都不夠，怎麼能成大乘法器呢？

獨覺乘的法器又是什麼樣子呢？「謂諸衆生具上聲聞一切功德」，聲聞的功德你都具足了，但是你所進入的比他又深了，能夠在五取蘊上「數數安住」。能夠在五取蘊上安住，就可以知道一切諸法無常的，色受想行識的五蘊，都是無常法，他不取著，不執著。

無常觀就是觀諸法無常，他也能深入的觀照。隨生隨滅，無常觀，不是斷見，跟外道不同的。隨時的生滅，這是生滅法。一切諸法五取蘊都是生滅法，都是無常的；但是無常當中，他又緣一切諸法，緣起的他能夠認到他的理，緣起諸法這性是空的，體是空的。能審諦觀察都是滅法，滅就成了道，這樣子才能夠得到獨覺乘，比聲聞進了一步，但是這個衆生不是大乘。你看看聲聞乘是什麼樣子？獨覺乘是什麼樣子？你證得了嗎？你連聲聞乘的法器都夠不上，連獨覺乘的法器都夠不上，又怎麼說你是大乘呢？就是這樣涵義。

「爾時世尊重顯此義而說頌曰：

若眞善人剎帝利　乃至眞善戍達羅
修信等十有依輪　於聲聞乘速成器
求獨覺乘三業淨　具足慚愧怖諸蘊
知過樂靜住空閒　念守諸根心寂定
善觀緣起修靜慮　諸蘊界處巧能觀
具此十行有依輪　成勝乘器度有海
修共三乘二乘輪　自求解脫煩惱苦

不度有情不捨習　此人俱非大乘器
愚癡懈怠根下劣　於二乘法不勤修
定不能具大乘輪　故非大乘廣大器」

「若眞善人刹帝利，乃至眞善戍達羅」，眞善刹帝利，眞善婆羅門，眞善筏舍，眞善戍達羅，這四種性「修信等十有依輪」，這個十有依輪，除了信進念定慧之後，還要修。這是信位的前五信。

這個有依輪裡頭，有十法，要修這十輪，才能與聲聞乘速成法器。再進一步求，求獨覺乘的三業清淨，具足慚愧，對於一切的諸蘊起恐怖感，不去起貪著。知道自己的力量如何，自己要住閒靜處，住於空寂，隨時思念著，守自己的眼耳鼻舌身意，使你的心能夠寂定。就獨覺乘的法，修無明緣行行緣名色，乃至生老死苦，要善觀緣起。

獨覺乘跟大乘的不同，大乘緣起是知道一切諸法因緣起的，因緣起的因緣滅，緣起法無自性，自性的緣起法當體即空。這是大乘的空義，跟二乘人的空義不一樣的，這只是善觀緣起修定、修三昧。靜慮就是定，就是你靜下來思慮，這思慮最初還得經過尋伺，還得經過很多過程，你才能定得下來。

像這部經所說的數息觀。你要修數息觀，善觀緣起來修這個定，諸蘊界處巧能觀，觀五蘊，觀十八界，觀十二處。就是有了善巧方便慧來觀察，觀察這些法都是緣起法的。一切的五蘊、十八界、十二處都是緣起法，緣起的性空。

性空就是大乘，緣起的就是緣覺，觀緣法，也達到空義。那個空跟那個大乘的空不一樣的，那空非空，這個空是眞空，眞空證得眞空的一半；菩薩那個空叫非空，非空不是空，不空是什麼？是妙有，妙有不是有，非有，那就是眞空。眞空的涵義，包含著利益一切衆生的意思。

二乘，他達到空義，他就在這兒安樂了。他爲自己求安樂，住在一個靜慮當中，住這個定中。那是不同的。這個是度了生死海，度脫三界，他是勝乘器，是殊勝的二乘。那比人天乘高多了，能夠度有海，修共三乘的三乘輪。這是三乘共道，他只能修到二乘輪，大乘輪修不到。

「自求解脫煩惱苦」，又怎麼能知道他是二乘輪呢？他只求自己的解脫。解脫什麼呢？解脫煩惱，能夠除了煩惱。他見什麼不起分別了，乃至於意念對法塵，也不起分別了。斷了思惑，意念不起惑，這就叫解脫了煩惱苦，煩惱的苦沒有了，生死苦也沒有了。

但是他的缺點是什麼呢？「不度有情不捨習」，習氣還存在，見思惑沒有了，塵沙惑還在，習氣像微塵像沙那麼多，很難斷，就因爲他不捨習氣不度衆生，所以他非大乘器，那樣的聲聞獨覺都不是大乘的器皿。

「愚癡懈怠根下劣，於二乘法不勤修，定不能具大乘輪，故非大乘廣大器。」不發菩提心，佛呵責二乘人，就是他懈怠下劣的根器。二乘法都不能修，又怎麼能求大乘呢？他連二乘法都不勤加修行，不去證二乘果，就是他的根下劣，怎麼能求大乘呢？佛就說，我們要依照教義來斷定他，他不能具大乘輪，他乘不上那個車子，乘不上那個輪。輪是車輾之義，乘就是運載的功能。乘有大乘小乘。小乘，他所坐那個車子，是個小車，就像《法華經》裡講羊車，羊車力量很薄弱。中乘是牛車，比羊的力量大，是那個鹿車。大白牛車是大乘，在《法華經》中比喻，大乘的輪跟二乘的輪相距懸殊，所以說他非大乘的廣大器皿。

「愚癡獨一求解脫　劣意下行無慈悲
樂著斷見向惡趣　棄捨正法說非法
毀謗二乘捨律行　受具足戒號大乘
破亂我法惑眾生　由此人身難復得
惱亂我法諸賢聖　謫罰被赤袈裟人
呵罵遮奪衣鉢等　長時退失人天趣」

「愚癡獨一求解脫，劣意下行無慈悲」，佛就批評二乘人，愚癡沒有智慧，不求菩提道，只爲自己求解脫，不爲他人解除痛苦。別人有痛苦，他根本不關心。他那個發心很下劣，劣不殊勝，行爲不廣，沒有慈悲心。

「樂著斷見向惡趣，棄捨正法說非法」，大乘是什麼？他希望大乘那個空義，諸法皆空，無修無證，他取的是斷見，他不知道菩薩利益衆生的時候，一切法都要修。要是樂著斷見，死了就完了，還何假修呢？他把大乘很多的話，拿來作爲自己的門面。例如《楞嚴經》說：「何藉劬勞，肯綮修證？」修證都是假的，何必費功夫，他就用這句經文認爲「他已證得」。那是人家已證得法性的大菩薩，直接悟得法性，曉得緣起諸法皆無實性，緣起諸法就是本身就具足實性。緣起性空，他只取性空，這叫斷見，斷滅見。這樣說大乘是不可以的，他是惡趣的，向三惡道墮落，向地獄墮落。

「棄捨正法說非法」，二乘法是正法，十善道是正法，十善有深有淺，聲聞緣覺也行十善，大菩薩也行十善，諸佛都行十善，三不護就是佛的身口意，完全清淨了，再不用護持了。二乘人菩薩還要護身口意，隨時護著身口意。身口意就是十業，隨時護持十業，不讓他做錯了。毀謗二乘捨律行，不持戒了。二乘專講持戒，二百五十戒持清淨了，證得阿羅漢果。若我們沒有持清淨就證不了，這種毀謗二乘法的，他就不學二乘戒律，不去受持戒律，乃至受了具足戒，還沒有持；受了具足戒，剛受戒，他說自己是大乘。

「破亂我法惑衆生」，這是迷惑衆生的，佛的正法讓這些人給毀謗了，給破壞了。「由此人身難復得」，這樣的毀謗落到斷見的，乃至破亂佛法的，這些人把這個報捨了，再想得個人身很難，得不到了。

「惱亂佛法中諸賢聖，謫罰被赤袈裟人」，訶責被袈裟人，乃至於毀謗惱亂，這裡頭有聖人有賢人。阿羅漢沒有入定之前，他跟凡夫僧共住，何人是聖人？何人是凡人？何人證了聖果？你不知道的，分不清楚。所以惱亂佛法中的諸賢聖，「賢人」，是指七個位子說，初果向、初果、二果向、二果、三果向、三果、四果向七位。證了阿羅漢果，才叫聖人。在這二乘法裡頭是這樣說的。所以要是呵罵、譴責、污辱那些被袈裟的人，這裡面有賢，也有聖。要是呵罵他們，乃至遮奪他們的衣，遮奪他們的鉢，把他們的衣鉢都給奪了。「長時退失人天趣」，他想再生到人道、生到天道是不可能的。

「是故若欲復人身　不恚舌矜而捨命
常樂值遇諸佛者　普應弘護三乘法
欲得三乘最上乘　應善觀察三乘法
歡喜爲他普開示　當得成佛定無疑
破戒慳嫉懷憍慢　自讚毀他號大乘

捨離此人依智者　定當成佛度三界
於三乘器隨所宜　慈悲爲說三乘法
隨願令滿無慳嫉　當得成佛定無疑

「是故若欲復人身，不患舌舑而捨命」，你想還復人身，有兩種情況，雖然還復了人身，很不容易具足個全身。一種是舌舑，舌頭會得短，或者舌頭長，說不出來話；口裡不能言，口不能言，這叫舑。或者是捨命，到了人間沒好久，就死了，把人身又捨掉了，捨掉了又下地獄去了。要是得了舌舑，壽命還長一點，沒得舌舑，生命短一點。

因爲他繼續作惡，剛從地獄出來，善根很難成長的，那個作惡慣了，習氣很不容易改正，斷見思惑還容易斷，習氣很難；破戒懺悔就可以改，破見是沒辦法的，佛都不能救他。見就是知見，他看問題總跟人家不一樣，特別偏，特別狹窄，總是不合法；把正法謗成非正法，把非法又說是正法。有這種見解是不容易度的，見的習氣，是無量生帶來的。「常遇値樂諸佛者」，如果你想常時遇見諸佛，你就弘揚三乘法。

「欲得三乘最上乘，應善觀察三乘法」，你要想得到大乘法，你就好好觀察觀察三乘法，三乘法究竟都說什麼？歡喜爲衆生普開示，這個「普」就是不要揀別，不要只對有錢有勢的人才開示，沒錢沒勢的人就不開示。我們有時候看見畜生，勸大家給牠念個三皈，以爲牠不懂就沒有作用嗎？你受灌頂，你懂嗎？你爲什麼要去受灌頂？這叫種個種子。

有好多人受了灌頂，根本不懂。受了眞正的大灌頂，他還不知道。每一個灌頂都有個主咒，受了灌頂一定得要念咒，起碼你得念十萬遍，常受持，就多念。有人受完了灌頂，我問他說：「你有沒有受持？」他說：「受持什麼？」我說：「你受持什麼灌頂？」「我不知道。」這樣有沒有功德呢？有一點，種個種子而已。

無論哪一類的畜生，你給牠念受個三皈，你對狗，乃至於對放生那個魚，他都瞪很大眼睛瞅著你，你給那狗說三皈，那狗就瞪眼瞅著你，不管牠懂不懂，你給牠種個種子，就是這樣意思。一定要這樣做，應善觀察三乘法，「歡喜爲他普開示，當得成佛定無疑」，能夠這樣做的人，這才眞正大乘，一定能夠成佛。

「破戒慳嫉懷憍慢，自讚毀他號大乘」，不但不是大乘，小乘也不是，沒有入佛門，連佛法的邊都沒有沾上，這種人不要理他。「捨離此人依智者，定當成佛度三界」，像這個破戒慳嫉又懷憍慢，讚歎自己毀謗別人，凡是毀他的，就含著讚歎自己的味道。捨離此人依有智慧，一定成佛度脫三界，超出三界。

「於三乘器隨所宜，慈悲爲說三乘法」，對於三乘的人，他是那類的根機，宜是應當的意思，他應當受什麼法，你就慈悲的給他說什麼法。「隨願令滿無慳嫉，當得成佛定無疑」，隨他的願，令他滿足，令他歡喜，千萬不能慳嫉法，對法慳貪嫉妒，你會得瘂舌之報，說不出話來。

「知蘊界處皆空寂　無所依住譬虛空
說法等攝諸有情　當獲妙覺無邊智
破戒意樂懷惡心　聞說大乘勝功德
詐號大乘為名利　如弊驢披師子皮
我今普告一切眾　若欲疾得勝菩提
當善修持十善業　護持我法勿毀壞」

五蘊十八界十二處，都是緣起的、沒有自性的，他的性體是空寂的。空者沒有住相，無來無去。知道一切的五蘊十八界諸法，是空寂的，這得用功夫。你若能學學〈唯識三十論〉，能把五蘊十八界十二處分辨清楚了，都不容易。完了，你再觀，觀想什麼呢？這些法根本上是沒有的，眼、耳、鼻、舌、身、意六識，是虛妄的，如夢幻泡影的。外面所對的六塵，色、聲、香、味、觸、法，也是空的，虛幻的，如夢幻泡影。根對塵就是十二處，都是寂靜，無來無去，不生不滅，本性常寂靜故，諸法如幻故，都無依止。因爲無依止故，虛空依什麼？虛空什麼都不依，說這種法來攝受諸有情，這才是大乘的妙義。使一切衆生都獲得妙覺無邊智慧，獲得空慧，這個空就是般若，就是觀自在菩薩用來照見的五蘊皆空，十八界皆空，十二處皆空。般若這個空，空非空，空非空，是照的。

「破戒意樂懷惡心」，凡是犯戒的破戒的，他的心不是善良的，一定是惡心。聽到人家說大乘的功德大，他自己也詐騙人家說：「我也是大乘。」詐號爲大乘。

大乘功德大，大家都心嚮往之，特別是我們都歡喜向大的、向密的、向圓滿，向究竟的。要是說這個法不究竟，我不學這法，我要學究竟的。不錯，學究竟的，志向是不錯了，但是不是那個根器，那是爲名利的關係。

「如弊驢披師子皮」，就像我們前面說過的譬喻，那隻很蹩腳的驢，牠披著獅子皮，假裝獅子，被人識破。

「我今普告一切衆，若欲疾得勝菩提」，我現在跟大家說，你若想很快證得菩提果，當善修持十善業，好好修習十善業，十善業修成了，就能夠使佛的法不被毀壞。

「我昔諸餘契經說　應求大覺行大乘
捨離聲聞獨覺乘　爲清淨者說斯法
曾供無量俱胝佛　斷惡勤勞修淨心
我爲勸進彼衆生　故說一乘無第二
今此衆具三乘器　有但堪住聲聞乘
心極憂怖多事業　彼非上妙菩提器

有癡樂靜住獨覺　彼非上妙菩提器
有堪安住上妙智　故隨所樂說三乘
具淨功德樂解脫　聞說大乘墮惡趣
如病痰癊教服乳　此增毒害非除疾
如是非器聲聞乘　聞說大乘心迷亂
便起斷見墜惡趣　故應說法審觀機」

「我昔諸餘契經說，應求大覺行大乘」，我在別的經上這樣說，勸大家勸一切衆生都要學大乘，行大乘法，大覺求成佛。「捨離聲聞獨覺乘」，不要學聲聞法獨覺乘，我說這個法是爲清淨人說的，「爲清淨者說斯法」。這就答覆了金剛藏菩薩的疑問。以前在其他的大乘經典裡頭是這樣說過，都應當學大乘不要學聲聞獨覺乘，那是我給那批人清淨者說的。因爲那些人都是供養無量俱胝佛。「斷惡勤勞修淨心」，淨心已經修得相當成就了。「我爲勸進彼衆生，故說一乘無第二」，《法華經》上這樣說的，「只此一是實，餘二則非眞。」是給那些人說的，是對機說法。

「今此衆具三乘器，有但堪住聲聞乘」，現在我只給三乘人普遍的說，《大集十輪經》是三乘普說。現在這些大衆，有的只能夠住在聲聞乘，有的他心裡怖畏很多的事，他不是上妙菩提的根器。住靜的獨覺，「彼非上妙菩提器」。「有堪安住上妙智，故隨所樂說三乘」，有的人他喜歡大乘，他是這個根器，他可以住在大乘，有這種妙智慧，我就給他說三乘的大乘法。

「具淨功德樂解脫，聞說大乘墮惡趣」，這句話是反過來說的。他想求清淨解脫，他聞了大乘，反而墮入惡趣。

下面有個比喻，「如病痰癊教服乳，此增毒害非除疾」，他只想求離三惡道苦，或者他只想求離三界苦，他所具足的是持二百五十戒的功德，他想解脫什麼呢？解脫人間，求得二乘的寂靜。假使我給他說大乘，他不但不接受，還要生謗毀，他一定墮到惡道。如果他病害痰症，癃痰症就是喉嚨不舒服。又給他喝牛奶，他的喉嚨更起火，痰更重，那就是毒害，並不是去除他的疾病。喝點黃蓮水還差不多，那樣就對症下藥。

「如是非器聲聞乘，聞說大乘心迷亂」，對於不是大乘的法器，要是給他說大乘，他一定會迷亂。不是二乘法器的，要是給他說二乘法，他也不會證入的，這個是指大乘器皿。

聲聞乘的法器，我要給他說大乘，他聽到了，他的心會亂，連聲聞乘也得不到，反而生起斷見，墮惡趣空，不但領悟不到空義，還墮到惡趣空，墮到惡趣。「故應說法審觀機」，說法的時候一定要謹慎，一定要好好觀機。

有依行品 竟

國家圖書館出版品預行編目資料

地藏菩薩的解脫法門：大乘大集地藏十輪經 有依行品. 第四
夢參老和尚主講；梁國英, 溫哥華地區道友, 方廣編輯部整理．--初版．
--台北市；方廣文化，2005-- （民94）
面： 公分
ISBN 957-9451-88-5
1.方等部
221.35 93023003

地藏菩薩的解脫法門

大乘大集地藏十輪經【有依行品 第四冊】

主講：上夢下參老和尚
錄音整理：梁國英、溫哥華地區道友、方廣編輯部
封面設計：大觀創意團隊
出　　版：方廣文化事業有限公司
住　　址：台北市大安區和平東路一段177-2號11樓
電　　話：(02)2392-0003　傳　真：(02)2391-9603
劃撥帳號：17623463　方廣文化事業有限公司
總 經 銷：聯合發行股份有限公司
電　　話：(02)2917-8022　傳　真：(02)2915-6275
出版日期：2023年5月　2版6刷（修訂）
定　　價：新台幣260元
行政院新聞局出版登記證：局版臺業字第六〇九〇號
網　　址：www.fangoan.com.tw
e-mail: fangoan@ms37.hinet.net

【夢參老和尚的叮嚀】

No：D507-4

大乘大集地藏十輪經

夢參老和尚講述

《大乘大集地藏十輪經》共有八品十卷，自從唐代玄奘大師譯成中文之後，迄今千餘年，幾無任何相關經論註釋，可供參考研習。

1995年秋冬之際，旅居加拿大溫哥華地區的三寶弟子，特別禮請夢參老法師講述《地藏十輪經》，闡明這部經的微言奧義，讓現代人可以深入淺出的攝受地藏法門止觀境界。

NO. D507 大乘大集地藏十輪經講述
25K 平裝(六本) NT:1, 560

淺說五十種禪定陰魔
《楞嚴經》五十陰魔章
夢參老和尚
開悟的楞嚴 初入佛門者不可或缺的導引
學習佛法應克服障礙，本書列舉了五十種修道上的危機，是初入佛門者不可或缺的導引。
淡極始知華更豔的說法境界
公元二〇〇八年三月，夢參老和尚在台弘法進入尾聲之際，因夢境之敦促，生起了開講《楞嚴經》的心願；
面對深皺染的句，老和尚此次開演楞嚴大意，以疏淡的方式凸顯《楞嚴經》的典雅莊嚴，
希冀大家能在楞嚴大法中信仰妙明真體，銷除億劫顛倒想。
淺說五十種禪定陰魔 《楞嚴經》五十陰魔章
夢參老和尚主講
方廣文化出版 25K平裝 定價新台幣320元 ISBN：978-986-7078-30-8
廣